DU MÊME AUTEUR

Chez d'autres éditeurs

LE MÉTROMANE, *roman*, 1985, Flammarion.

UN MALADE INDÉLICAT, *nouvelle, in* ouvrage collectif FAUSSES
NOUVELLES, 1986 Calmann-Lévy.

Traductions

OCTOBRE de Christopher Isherwood, Rivages.

LUMIÈRE de Eva Figes, Rivages.

NOCTURNES POUR LE ROI DE NAPLES, de Edmund White,
Mazarine.

L'ENCHANTEUR de Vladimir Nabokov, Rivages.

LES VOLUMES ÉPHÉMÈRES

GILLES BARBEDETTE

LES VOLUMES ÉPHÉMÈRES

roman

nrf

GALLIMARD

GILLES BARBEDETTE

LES VOLUMES ÉPHÉMÈRES

TOME

À la mémoire
de Jean Blancard.

I

LES PAYSAGES INTÉRIEURS

La vie est une longue suite de paysages difformes qui se croisent et se chevauchent étrangement, et chaque fois que nous essayons de leur trouver un sens nous nous heurtons à autant d'écueils qu'il y a de paysages. Sans doute sommes-nous incorrigibles de ne jamais avouer notre défaite et inconscients de consacrer toute une vie à produire des efforts qui démontrent le caractère démesuré et ridicule d'une telle tâche. Mais c'est ainsi. Par ailleurs, il suffit de regarder brièvement les vertèbres saillantes de mon être rachitique pour comprendre la nécessité de ces tableaux instables qui déposent en nous l'épaisseur de leurs mirages ou bien la grâce ingambe de leurs silhouettes insulaires.

Ici, on ne cédera pas aux leurres les plus simples : le langage n'est pas armé pour rendre compte de la complexité de l'imaginaire qui vient à notre rencontre. Et si on a pu le croire on a eu tort. Tout au plus réussit-il à transmettre de brefs instants translucides qui semblent d'autant plus purs que la nuit, autour de nous, a une noirceur d'encre. L'écume imparfaite des mots ne dira jamais aucune jouissance ni aucune agonie. Ne lui demandons pas ce qu'elle ne peut offrir ni aux livres autre chose que ce qu'ils disent. Il suffit, pour se consoler, de savoir que certains mots peuvent combler le vide des lectures faites en nous-mêmes et atténuer la misère affolante de nos rêves — des mots tels que « île », « baleine », « monstre », ou bien le magique « héroïne ».

Mais de quelles images a-t-on pu un jour avoir la perception fugitive, et par quel artifice ? Entre quelles lignes faut-il se faufiler pour soudain entrevoir ce qu'on avait déjà rencontré ailleurs puis déjà oublié ? Autant de questions qui restent sans réponse pendant que se dressent devant nos yeux les icônes, les images sérieuses, les chromos désuets, les représentations obstinées de paysages immobiles dont la pesanteur nous est aussi nécessaire que la montagne a besoin d'une plaine pour savoir qu'elle est montagne. Je veux parler de ces images qui ne sont jamais le reflet de ce qui est arrivé mais seulement l'illusion d'elles-mêmes ; de tableaux auxquels nous confions le soin de figurer certains rêves ; d'objets qui ne disent rien sur nous et pourtant nous décrivent tels que nous sommes ; de livres qui nous détournent du cours ordinaire des choses dans le seul but de contredire ce que nous croyons être une fatalité.

C'est une trajectoire, conçue à l'origine comme un voyage au milieu de volumes lestés de plomb, et qui a dévié par la suite vers des zones désincarnées, que ce livre va décrire. Qu'un antagonisme entre pesanteur et légèreté, conséquence et inconséquence, ait pu lentement se métamorphoser en une alliance diabolique, le couple monstrueux que je formais avec Helga en constituera la preuve. Car c'était l'union hybride d'un ventre repu d'humanités avec un corps affamé, parti à la recherche des matières qui auraient pu le nourrir. De telles associations, où l'alter ego n'est pas la copie conforme qu'il doit être mais son double difforme et où deux images inverses tentent une fusion de principe, l'histoire a déjà rapporté les hauts faits de quelques cas célèbres : Sancho Pança et Don Quichotte, ou bien Laurel et Hardy. On me pardonnera de bien vouloir ajouter à cette liste prestigieuse l'ombre d'une Vénus hottentote et le bâton d'un homme-squelette.

Mais mon propos n'est pas limité à l'incubation d'une passion paradoxale ou à la naissance d'un rêve ; car c'est le récit incroyable de l'obésité alliée à la maigreur, la vaste histoire de la maigreur, en fait, et l'histoire d'une désincarnation, que l'on va pouvoir découvrir.

« La véracité, c'est la voracité » : cette phrase, découverte par hasard dans un roman russe dont le titre m'échappe, pourrait fort bien servir de support à une présentation d'Helga ; elle pourrait même être l'image qui lui correspondrait le mieux, bien qu'il me paraisse toujours étrange qu'un être ventripotent ait davantage le droit d'incarner un symbole de vérité que le sac d'os de mon étroite personne. Mes flancs amaigris ne seraient donc que mensonge. Oh, je ne doute pas un instant que si vous aviez à choisir entre Helga et moi pour recueillir l'oracle de votre journée, c'est vers Helga que vous vous seriez tourné, vers l'énorme ballon de son ventre. C'est à cette panse un peu flasque et distendue que vous vous seriez confié, comme je l'ai fait moi-même avec l'ambiguïté et l'audace d'un jeune disciple mal dans sa peau qui remet son sort entre les mains de son maître. Et peut-il y avoir maître plus idéal que celui qui porte sur lui le poids d'une longue expérience? Bien sûr, dira-t-on, tout cela n'est qu'apparence et illusion. On voit mal a priori pourquoi une mamma italienne inspirerait davantage de sincérité que l'ombre étique de son mari ni pourquoi le degré de sincérité de cette mamma devrait être en proportion de l'étendue de son ventre. Mais c'est comme ça. Saura-t-on jamais pourquoi quelqu'un a décidé, un jour, que l'embonpoint serait le réceptacle naturel de la sagesse, le lieu de la franchise et de la vérité? A-t-on bien perçu les conséquences qu'un tel constat impose à un corps aussi décharné que le mien? Car sur l'ombre chagrinée de mon corps la vérité ne semble pas devoir trouver de points où se fixer : elle glisse et ne fait que passer. Car qui dit vérité dit mémoire. Et où donc, sinon dans les plis entrelardés d'un « belly », pourrait-on engranger une mémoire? Tournez et retournez autant de fois que vous voulez les données de ce problème, vous buterez toujours comme moi sur cette image.

Dès le départ, et jusque dans sa dernière métamorphose, lorsque la maladie aurait fait fondre une partie de son enveloppe externe, Helga serait à mes yeux un immense puits de vérité dans lequel j'avais, d'instinct, envie de me noyer. Oui, même un peu moins obèse, elle serait toujours l'ange monstrueux d'un rêve monstrueux.

Voici comment je la verrai, un après-midi de janvier, dans sa chambre : couchée, repliée sur elle-même comme un embryon surdimensionné, au milieu de draps qui sentent la sueur, s'agitant mollement sous les plis ouateux d'une couette blanche pour recomposer, avec des bosses et des bourrelets, la morphologie d'une baleine neurasthénique ; elle somnole ou bien rêve, plongée dans cet état liquide que l'on dit propice aux cauchemars — et si on l'observe d'assez loin, en entrebâillant la double porte qui ouvre sa chambre, alors elle semble s'enfoncer dans des dépressions aériennes, dans un enlisement onirique, et le souffle imparti par ses lèvres à la tiédeur de l'air dessine les nuages où elle s'est abîmée. Sa respiration est une respiration climatique capable de reproduire des perturbations qui font flotter leur cortège de mousseline au-dessus de continents à la dérive. Mais revenons sur terre : les continents dont il s'agit sont les êtres et les lieux sur lesquels Helga prend appui et qui insufflent en elle le peu de plaisir qu'elle prend à son état. Ai-je été, ce jour-là, le beau cumulus égaré dans l'azur qui réussit — on se demande comment — à accrocher les rayons du soleil ? L'essoufflement d'Helga trahit aussi un sentiment de panique, un malaise, cette maladie dont elle a fait taire le nom et qu'elle a fini par oublier elle-même bien qu'elle la contraigne, plus ou moins, à une existence de litière.

Je viens m'asseoir au bord du lit, j'écoute le souffle inquiet qui ralentit ses saccades et j'observe le visage qui s'éveille. Elle ouvrira lentement les yeux, minuscules bigarreaux sertis dans une chair triste de cernes noirs, d'arcades sourcilières plissées par l'amertume ou, plus simplement, par l'ennui. Alors, son visage rond, lustré d'une fine couperose, et qu'un sommeil de plusieurs heures a ridé, se retourne sur les deux ou trois oreillers qu'elle met toujours l'un sur l'autre ; le lit tressaute à peine, les draps libèrent cette odeur saline dont raffolent les chats, une odeur un peu aigre, dans la composition de laquelle entrent un parfum de peau, l'essence chimique des médicaments entassés sur la petite table placée derrière la tête du lit et le précipité de toutes les autres odeurs qui se sont lentement déposées dans la pièce. Cette chambre, qui donne en plein sud, sur le jardin, est toujours le centre de gravité de la Villa des Verseaux, le vrai salon, le point fixe à partir duquel se résolvent toutes les tensions ; elle demeure la forteresse, le coffre-fort dont Helga serait le magot. C'est pour elle, après tout, qu'on viendrait ici.

Apercevant enfin le roseau de ma silhouette penché sur elle, Helga esquisse un sourire fugace, véritable trait d'écume sur une feuille décolorée.

« Ça va aujourd'hui ? »

Elle hésitera entre oui et non, parlera de son poids, mettra en cause les médicaments, évoquera sa fatigue.

Ensuite, j'écarte les doubles rideaux de chintz mauve et les anneaux de bois auxquels ils sont accrochés coulissent dans un bruit de serpents à sonnette. Finalement les rideaux consentent à se plier aux embrasses que je fixe à leurs pitons de cuivre. Une pellicule de buée recouvre les carreaux.

Je cours à la cuisine chercher ce qu'Helga réclame, mais découvre les traces du spectacle de la veille : évier rempli de vaisselle sale qui sommeille en faisant de l'équilibre ; bols où bâille du lait caillé, assiettes dans lesquelles des spaghettis incrustent leurs serres de madrépores, plats de terre cuite qui ont servi à faire gratiner des lasagnes, saladiers entachés par les petites perles blanchâtres d'une sauce à base de yaourt et de citron, verres colorés par un liquide jaune clair ; et par terre, deux

16

grands sacs-poubelles jonchent les tommettes du carrelage ; l'un des sacs — une énorme bedaine de plastique
bleu — est percé en plusieurs endroits.

Quand je ramène le plateau de thé dans la chambre,
Helga s'est redressée dans son lit ; elle brosse lentement
des cheveux noirs clairsemés puis crachote à plusieurs
reprises dans une série de mouchoirs de papier ; enfin elle
agrippe un flacon de vétyver pour se rafraîchir les joues et
disperser des odeurs qu'elle croit « pharmaceutiques »
ou bien gênantes.

Sans doute voudrait-elle que je lui dise : « Tu sens
bon » ; sans doute cette phrase tant espérée compenserait
à ses yeux l'idée qu'elle se fait maintenant de la décomposition de son corps. Comment pourrais-je lui dire que j'ai
toujours aimé son odeur rare de pain d'épice ?

« Je dors mal en ce moment, dit-elle... je n'arrête
pas de me lever plusieurs fois par nuit... ou bien, j'ai
envie de vomir ou bien j'ai la diarrhée... c'est de pire en
pire.

— Tu as les derniers résultats de tes examens ?

— Oui, répond-elle... Mes plaquettes ont encore
baissé ainsi que les globules blancs. J'en suis à 2 000... »

Chaque fois que j'enregistre un nouveau bulletin de
santé, un pincement se forme dans ma gorge et ma voix
s'embrouille si les nouvelles sont mauvaises, comme si
une terreur ancienne venait placer au centre du larynx le
trouble causé par la maladie des autres.

Puis mon regard bifurque vers le ventre qui dresse sous
la couette non plus la vaste montagne de jadis mais à
peine une petite colline. Je m'inquiète enfin de voir que
de nouveaux bracelets potelés ont fondu autour de ses
bras et de son cou. Je ne chercherai pas à dissimuler

l'immense nostalgie que j'éprouve alors pour son ancien volume.

L'un des deux chats d'Helga, dont j'ai désormais la garde (la belle Vanouchka, une persane de trois ans écaille de tortue qui semble vouloir marcher sur cette page avec ses petites pattes de plume, de soie et de tulle pour imprimer son ombre sur la matière du livre) se prélasse sur un coin du lit que la couette n'a pas recouvert.

Au fur et à mesure que nous bavardons, je m'aperçois qu'Helga a détourné toute son énergie vers son cerveau — le seul muscle où elle concentre depuis l'enfance une activité nerveuse et tendineuse pour faire contrepoids à une surface corporelle de plus en plus inerte et de moins en moins massive.

Pendant notre conversation automatique, je procède à une inspection méticuleuse de la chambre. Quittez quelques jours votre lieu le plus familier puis empruntez, au retour, une rue que vous n'aviez jamais prise, un porche que ·vous aviez évité, un vestibule que vous n'aviez jamais osé franchir : vous découvrirez alors les angles d'un spectacle nouveau. Pareillement, je me laisse surprendre par des observations que je n'avais jamais faites jusqu'ici. Trois tableaux représentant chacun une carte de tarot impriment sur le mur blanc leurs arcanes mythologiques et imposent soudain leur évidence. Sur l'une de ces cartes géantes (format 60/100), à gauche de la cheminée, une petite fille aux longues tresses rousses est suspendue à une corde, dans l'embrasure d'une fenêtre ouverte sur le vide qui semble s'ajouter à la fenêtre de la chambre. Le bleu de Prusse et la tonalité nocturne du tableau ont évidemment quelque chose d'inquiétant. En face, une autre carte de tarot, dont les légendes (*Danseur mondain* et *Pointe-à-Pitre*) encadrent le dessin maladroit d'un nègre planté sur le rocher d'une tour de Babel et autour duquel flottent les mèches écourtées de vagues violettes : le nègre brandit une faux renversée (ou bien un cimeterre) et il bombe le torse pendant qu'un petit singe perché sur ses épaules se donne les airs d'un *Penseur* de Rodin. La troisième carte est plus distinctement peinte. On y voit une jeune fille à qui manquent un bras et une jambe, puis au-dessus d'elle, imbriqué en elle, un homme d'âge mûr dont la moitié du corps est celle d'un animal (taureau ou buffle). Mais marquons une pause dans ce travail d'inspection.

Helga a repris plusieurs fois son souffle et craché dans de nombreux mouchoirs qui sont allés rejoindre, par terre, d'autres cadavres de papier de soie criblés de caillots de sang ; puis, lorsque sa tête a retrouvé sa composition altière, lorsque cette tête émerge toute seule du lit comme si elle s'était séparée du reste de son corps tuteur, et comme s'il n'y avait plus qu'elle, alors d'autres objets viennent répondre à la manifestation d'un étrange élan vital : un abat-jour de raphia inséré sur la couronne d'un socle de terre ramené d'Algérie (un récipient à dattes en forme d'obus de canon troué au milieu, avec quatre pieds trapus et une paroi ciselée où pointent sur chaque face d'innombrables petits mamelons). Enfin, sur la cheminée et dans son pot de céramique blanche, un bonsaï mafflu (genévrier de Chine — les connaisseurs apprécieront), dont les quinze ans représentent à peu près la distance qui me sépare d'Helga, déploie de maigres branches bandées dans du fil de cuivre, au milieu d'un sous-bois d'aiguillettes de terreau ; on dirait un vieux sage ratatiné en train de poursuivre son œuvre de concrétion de mémoire. Chaque fois que je toucherai ce bonsaï j'aurai l'impression de tenir du Temps entre mes doigts. Les bonsaï sont les arbres préférés d'Helga, les seuls arbres qu'elle laissera entrer dans sa chambre. Dans ce tronc enflé et monstrueux qui a conservé une légèreté d'ange — comme une enfance emprisonnée toute une vie adulte dans les torsades minuscules d'un brouillard crépu —, dans ces branches contre nature qui ne poussent que sous le contrôle permanent de leur créateur, dans ces mutilations subies par l'arbre devenu nain, ce n'est pas la marque d'un pépiniérisme qu'il faut retenir mais plutôt la possibilité d'une métamorphose corporelle ou d'un corps corporelle ou d'un corps transformé, fabriqué sur mesure et taillé en pièces. Comment ne pas croire qu'Helga ait pu, un jour, rêver de se travestir en femme-bonsaï à l'instant où moi, narrateur ingrat de ce livre, souhaitait doubler de volume, un peu comme dans les contes de fée, où l'arbre que l'on a arrosé d'une potion trop magique monte jusqu'au plus profond du ciel, bien au-delà des nuages ?

Soulignant une volonté inscrite (mais pas encore écrite ; nous nous en chargeons) de métamorphose, une faible lumière de fin d'après-midi s'attarde sur une étagère de livres puis dans le désordre du tapis où, entre les motifs du fleurage de laine, quelques couvertures écornées pareilles à des êtres figés et flétris ne cessent de bâiller. Enfin, l'odeur toute-puissante des pages imprimées devient distincte dans le magma des odeurs de la pièce. Mais pourquoi une telle masse de livres autour d'Helga ? Quelle explication à leur présence tératologique ? Quel mystère cherchent-ils à représenter ?

Aujourd'hui la pièce est vide, et dans l'état où Helga l'a laissée. J'ai du mal à concentrer mon attention sur les objets ; pour un peu on dirait qu'une gelée épaisse les a recouverts, à la manière des grandes housses blanches qui servent à maquiller les meubles des propriétés bourgeoises (dans le seul but de signaler aux gangsters en maraude une absence, un départ ou un voyage. La mort est-elle autre chose que cela ?).

Seul, entre tous les objets, un tableau fixé en évidence sur un chevalet semble résister à l'effraction du Temps. En voici, à quelques détails près, la description fidèle (que nous restituerons ensuite à l'opacité fuyante de cette maison afin de ne pas tomber dans le piège du naturalisme).

C'est une île, un embryon d'île, peut-être une presqu'île, ponctuée de minuscules écritures. On distingue nettement une côte rocheuse battue par une mer couleur de bronze puis l'échancrure d'une baie profonde. Là, dans la pointe du V, le rivage découvre un cañon qui plonge, à l'horizon, entre des collines boisées puis serpente au milieu d'un dédale de bosquets et de rideaux de palmiers, avant de disparaître en direction du nombril de l'île — un petit volcan au sommet évasé d'où s'échappent des colonnes de fumée. Un palais en ruine dort au pied du volcan.

Des nuages de particules (mouches ou moustiques) dessinent, au-dessus d'un banc de vase, une muraille où des amibes gourmandes paraissent se multiplier et s'entre-dévorer. Des poteaux balisent, avec leurs anneaux de fer, le chenal qui mène au port où plusieurs voiliers s'ébrouent dans une eau assez terne. Renversé, ce tableau minutieux laisserait croire que l'île a pris la forme

21

volontaire d'un Lion (quelle idée !) ou bien que la lagune a planté un mors dans la gueule de l'animal. Vus de près, certains détails restent étranges : tubulures des feuilles de palmiers (?), joncs qui affleurent comme des poils de barbe sur une peau humide ; promenades de planches qui s'entrecroisent aux alentours d'un petit port puis se perdent dans une végétation touffue, entre des maisons de bardeaux blancs tassées l'une contre l'autre. Montées sur les échasses osseuses de leur pilotis, ces maisons permettent aux buissons de conserver une grande part de leur mystère. La figuration humaine n'intervient sur le paysage de l'île que sous la forme de minces silhouettes qui se superposent, sans les bousculer, aux sinuosités compactes des dunes de sable. Sur la droite du tableau, et à mi-pente de la montagne, l'esquisse d'autres ruines impose d'énigmatiques présences.

Enfin, dans le ciel, un soleil blanc, méditerranéen, émerge du temps nuageux ; des nuages-édredons recomposent, avec des couleurs criardes, de vastes océans empanachés, des écrins saumonés, des collines en forme de savarin d'où paraît gicler un coulis cramoisi, des pains de sucre qui pointent d'énormes tétons (vraiment énormes) au-dessus de balcons suspendus à même le vide, des coquilles d'huîtres géantes dans les couvercles nacrés desquelles luisent des marécages de lumière ; et si l'on ne regardait que cette zone combinée de ciel, d'eau et d'île on verrait qu'une deuxième île a été ajoutée à la première et qu'elle a jailli comme un pot de fleurs brandi sur un fond de ciel bleu.

Helga a procédé volontairement à des retouches sur cette vieille croûte ; elle a délibérément accentué l'impression de dissymétrie existant entre deux zones opposées,

22

l'une couleur perle et l'autre plutôt sombre, comme si elle avait voulu indiquer, du même coup, la possibilité, le désir, la direction, d'une véritable mutation.

Une écriture fine et irrégulière a dressé à l'encre de Chine des mots qui se sont attachés aux formes qu'ils doivent en principe représenter. Certains d'entre eux (« pistachier », « labyrinthe », « latanier ») semblent faire exploser leur message emblématique au milieu d'une tache de couleur : mots-oriflammes d'un paysage totalement inventé auquel on a adjoint une deuxième réalité.

Helga a-t-elle vraiment laissé courir son imagination ou bien a-t-elle voulu faire l'inventaire de ses lectures ? Si j'en crois ses notes de travail voici ce qu'elle aurait lu, au moment de la composition du tableau : traités d'alchimie et d'ésotérisme, récits de voyage du XVIIe siècle, poésie élisabéthaine, livres de médecine et traités de chirurgie, rapports d'astronomie, Diogène Laërce, Ovide, Épicure, tout ce qui a été écrit sur les hermaphrodites, mythologie classique... Le tableau ressemblerait-il au livre sur les utopies qu'elle aurait décidé de peindre, non d'écrire, par manque de temps ? Car c'est une île, une île hédoniste, semblable à un club de vacances, qu'elle a reconstituée ici. Pourquoi une île ? Parce que l'île est l'image topographique de l'utopie. Helga a toujours entretenu avec la matière imprimée des rapports étranges que je me propose d'éclairer, dans un moment. Et de même que les livres appellent sans cesse la présence d'autres livres (font-ils d'ailleurs autre chose que cela ?), de même Helga s'est toujours sentie condamnée à les consulter indéfiniment et à absorber voracement leur substance. Quand je dis (péremptoirement) que les livres renvoient à d'autres livres, c'est qu'il n'y a pas en effet de livres vierges. Il ne peut pas y en avoir. Chaque livre est la pointe d'un iceberg dont la masse immergée varie (selon le cas) en volume ou en importance. Derrière un livre dorment cinquante ou mille titres que l'auteur n'a peut-être jamais lus mais qu'il a pourtant mystérieusement ingérés et qui dressent, après avoir poussé un dernier soupir, une ombre indirecte, un héritage lointain, une pensée attendrie, presque confuse. Ils attendent qu'un détrousseur de cadavres (rat de bibliothèque, biographe, enquêteur officiel) viennent les tirer de leur ennui, les soumettre à une promenade dans la pensée imprimée, les confronter à un entrelacs de signes et d'indices. L'érudition, qui est, au bout du compte, une sorte de voyage organisé, devient le prétexte d'une vaste fiction (« Plot ! Characters ! Action ! ») et elle finit par donner carrière à des attitudes esthétiques (le lecteur aura tout le loisir, d'ici peu, de croiser le fer avec quelques dandys de la plume ; un peu de patience ou alors foncez au chapitre III). Mais, chez Helga, l'érudition ne serait pas que l'alibi d'un puzzle ; ce travail disciplinaire lui donnerait surtout l'impression vitale de ne pas s'abêtir et de ne pas se perdre, même si un tel composé ambigu d'art et de science présentait le charme vague (et incertain), les détails (louches) et les digressions (agaçantes) du roman.

S'il fallait choisir un texte qui, à défaut de leçon, tienne lieu de métaphore pour mieux introduire le personnage d'Helga, alors ne retenons qu'un seul livre, découvert un jour de fouille intensive dans les tiroirs anonymes de la Bibliothèque nationale : *L'Isle des Hermaphrodites*. Ce récit, dont nous n'entendrons pourtant jamais parler dans le cours d'Helga, aurait été écrit - si l'on en croit le *Dictionnaire* de Bayle — autour de 1605, par un sieur Thomas d'Artus. Le même dictionnaire résume ce texte dans les termes suivants : « ...une satire ingénieuse des désordres de la cour d'Henri III... et une description *enjouée* (je souligne) des minauderies et manières efféminées de ce Roy ».

Helga indique dans ses notes comment aborder très précisément les rivages de ce texte : comme satire, comme récit de voyage ou comme utopie. D'emblée, ce texte, qui semblait venir d'un autre monde et aspirer à un autre monde (mais lequel ?) l'a fascinée. Et comme cet ancien philosophe (un plagiaire et un bavard) qui passa sa vie à décorer les poutres de sa bibliothèque de citations grecques ou latines, Helga a extrait de son texte fétiche quelques phrases d'un manifeste dont on pourra mesurer l'importance relative et ces phrases, calligraphiées sur le vélum d'un abat-jour, continuent de flotter aujourd'hui dans la transparence d'une lampe. En voici quelques-unes :

« Permettons à nos vieillards les plus décrépits d'être autant ou plus adonnés à l'amour que la jeunesse. »

« Nous ignorons une providence supérieure aux choses humaines et croyons que tout se conduit à l'aventure. »

« Nous ignorons tout autre paradis que la volupté temporelle que nous disons se reconnaître par les sens. C'est pourquoi nous les recherchons et chérissons par-dessus toutes choses. »

Quand on saura que Pythagore recommandait aux obèses des rapports amoureux très fréquents, on aura deviné que l'utopie hédoniste évoquée ci-dessus était le signe caché d'une volonté d'amaigrissement. Car toute utopie est un principe de rétrécissement du monde qui, s'il semble inutile aux maigres et nécessaire aux gros, se révèle en fait fatal aux deux. Mais tout conseil est superflu : l'écorché vif que je suis réclame lui aussi sa peau d'orange. Les monstres ont toujours été utopiques. Mais n'est-il pas étrange qu'ils cherchent à se volatiliser pendant que d'autres s'acharnent, contre leur volonté, à les faire exister ?

Archestrate, stratège athénien du IVe siècle, était si maigre qu'on le mit dans une balance pour constater qu'il pesait à peine une obole. Il était ce que je suis : un impondérable. Or, malgré son insignifiance — ou au contraire à cause d'elle — on s'intéressa à l'énigme de ce squelette qui a laissé les traces culinaires de son passage sur terre. Invoquer son nom représente l'effort fait par la gastronomie pour nourrir, par un menu aérien, les personnes les plus difficiles. Ainsi les véritables goûteurs, les gourmets (autrefois confondus sauvagement avec des gloutons) sont-ils devenus maigres. Car le goût n'est pas la gourmandise. Mettez dans une salle de restaurant un peuple vorace (mais barbare) et l'on croira aussitôt que tous s'entre-dévorent au lieu que les représentants émaciés de notre race, véritables bâtons de raideur, sauront rester urbains et civilisés. Par quel mystère a-t-on pu voir dans l'obésité une décadence et dans la maigreur une promesse (rien qu'une promesse, hélas !) de civilisation ? Rassurez-vous : dans chaque compliment destiné à louer ma personne accomplie et bien portante je décèle un éloge cynique.

Si Archestrate a pu brièvement intriguer les Grecs, de même ai-je dû éveiller quelque trouble chez Helga, ou quelque sympathie. Mais comment diable a-t-elle pu espérer trouver en moi l'île de félicité que je pensais trouver justement en elle ? Et pourquoi un être de poids ferait-il confiance à — je répète — un impondérable ?

Avant d'aborder la pièce de résistance, il convient de bien avoir en tête les êtres multiples — elfes insensibles et femmes à plateaux — qui se croisèrent en nous, s'espionnèrent, se dédoublèrent.

Une seule et ultime image suffira : un dimanche matin, Helga et moi surprenons, par hasard, de curieux reflets de nous-mêmes dans la grande glace de la salle de bains. Semblables à ces clichés d'identité encore humides qu'un séchoir fait se gondoler sous la pression d'un courant d'air chaud, plusieurs instantanés corporels firent leur apparition sur la surface trop brillante du miroir. Il y avait là soudain plusieurs Helga et plusieurs Hugo (Hugo, c'est moi) :

1) Une Helga que Hugo regardait mais qu'elle ne voulait pas voir, l'inverse étant également vrai.

2) Une Helga en train d'observer furtivement un Hugo rougissant qui cherchait à se faire plus maigre et à passer inaperçu.

3) Un Hugo qui faisait mine de s'étonner avec ravissement (à mesure que la buée dissipait ses dernières ondes sur la vitre scandaleusement déformante) de l'énorme superficie d'Helga, pendant que celle-ci s'inquiétait de l'absence totale de superficie de son petit Hugo. Le lecteur pourra compléter de lui-même la liste des

variantes, et j'espère qu'il voudra bien admettre avec moi que les innombrables personnages qui coexistent en nous sont comme autant de facettes d'un même diamant terne.

II

LE SALON

Nous sommes encore dans la salle de bains mais cette fois je suis seul. Mon ossature cagneuse roule bruyamment sur la surface d'émail de la baignoire ronde, parmi des odeurs de bois de santal, de lavande et de thé. Les volets sont entrouverts. Deux chats posent leurs clairs fanaux sur les ondulations mouvantes de l'eau du bain, comme s'ils partaient à la recherche d'un corps qu'ils connaissent bien mais qui aurait mystérieusement disparu. Tout à l'heure j'étais encore dans une chambre du rez-de-chaussée de la Villa des Verseaux. Vous n'imaginez pas le visage ingrat que je pouvais présenter à mon réveil ni avec quelle lenteur, avec quelle gaucherie j'ai pu aller jusqu'à cette salle de bains, dissimulant à des yeux imaginaires la grande érection matinale qui transperçait mon caleçon, comme pour mieux souligner ma nature osseuse. De surcroît, j'avais dans la bouche une déplorable odeur d'alcool et de salive morte, et je sentais monter en moi des remugles encore plus désagréables (l'odeur âcre du café, les relents fétides enfermés toute une nuit sous les draps du lit). Je m'étais redressé sur le matelas avec mes coudes pointus, les ressorts du sommier avaient émis des grognements, le plancher avait craqué de manière disgracieuse ; pendant quelques secondes j'avais essayé de régler ma respiration en m'efforçant de répartir les forces qui pesaient sur le lit un peu comme sur une balance romaine (où l'absence de fléau mobile et de système de bascule laisse planer jusqu'au dernier moment un doute sur le poids réel). Puis j'avais pris un livre — si lourd dans mes mains qu'on aurait dit un missel — et mes yeux, péniblement aidés par des muscles ciliaires trop ténus, avaient du mal à accrocher les lignes. Je parcourais donc ce livre plus que je ne le lisais. Tout était vague. Chaque page était le prétexte d'un refus de lire et marquait la volonté d'échapper à tout message, tout oracle. Des sensations et des idées surgissaient entre les paragraphes et annulaient totalement la présence du livre. Je ne savais plus à cet instant ce que j'avais lu ou ce qui avait provoqué dans le texte le désir de le fuir. À lire ainsi, c'est-à-dire comme tout le monde, on mesure avec effroi l'écume initiale qu'était le langage lorsqu'il n'était pas encore une musique mais seulement une poudre, un flottement. (Retenir l'idée, par conséquent, que les lecteurs ont une prédilection pour les régimes maigres.)

Je me demande vraiment par quel miracle j'ai pu m'infiltrer dans cette communauté à consonance astrologique et pénétrer dans l'ordinaire de son quotidien. Je sais, en revanche, que je lui dois d'avoir pris conscience du volume réel que j'occupais dans l'espace, ce qui n'est pas mince. Ni tétraèdre ni sphère, ni hexaèdre ni cylindre, ni cône, ni rhomboèdre, ni prisme ni pyramide, mon squelette rempli d'air était absolument incapable de présenter au monde le tracé correct et définitif de ses lignes. Vous n'imaginez pas à quel point j'étais gauche. (J'*étais* ?)

Mais l'on ne comprendra rien à cette aventure tant que ne sera pas reconstruite l'île de notre villa et évoquée la vie de salon qui y fut inventée. On aurait vraiment tort de vouloir confiner mon problème — et celui d'Helga — à la dimension scolaire, physique ou médicale d'une question d'amphithéâtre. Il me paraîtrait intolérable d'être réduit au rôle que joue l'épiphyse dans l'organisme. Je suis prêt, en revanche, à offrir en pâture le cobaye de mon personnage dans le seul but d'une démonstration bien plus scientifique et toute poétique, et qui repose sur une vérité très simple : nous ne sommes pas seulement des êtres temporels ; nous sommes aussi — et peut-être avant tout — des êtres d'espace et de volume. Supposons que certains d'entre nous soient soudain promus à la brutalité sourde de l'arbre : ne serait-il pas alors plus clair que dans la forêt qu'ils seraient condamnés à créer, tout serait affaire de terrain, de conquête et d'espace vital ? La géographie vaut bien toutes les histoires. Pourquoi perdre du temps avec la chronologie alors que la durée réelle des choses peut s'inscrire entre les murs d'un jardin et d'une maison de trois étages, dans l'étoffe d'une tenture ou dans la masse d'une bibliothèque ?

Mais voilà que je digresse au lieu d'avancer. Où sont donc les autres personnages, si l'on veut bien oublier mon ombre modeste et la figure plantureuse d'Helga à qui revient le droit d'entrer en fanfare dans ce livre ?

Il y aura Marc, l'amant improbable d'Helga (et ridicule, si je puis me permettre d'ajouter un adjectif ici), jusqu'à ce que je n'entre plus officiellement dans le cours des événements. Mais comme c'est à Marc que « nous » devons (« nous » collectif de la communauté ; vous n'êtes pas concernés) la découverte de la Villa des Verseaux, je me vois dans l'obligation de lui consacrer au moins une notice et de le tenir en laisse tout au long de l'histoire.

Marc sera l'incarnation de ce que ni moi ni Helga n'étions : l'austérité et l'ordre domestiques, la manie du rangement. Vous auriez pu le croiser, longuement décrit dans les scènes d'un autre livre, en train de marcher de long en large dans la maison, de disparaître comme une tornade puis de revenir en pestant, contre les nuages de tabac (qu'il abhorre) avant de rappeler à Helga le quota de cigarettes auquel elle a droit pour la journée. Mais derrière ses lunettes à monture d'écaille, vous découvririez en fait un personnage moins sanguin que placide, pareil aux troncs d'arbre passifs colonisés par des nuées de parasites et qui, au terme d'une croisière tranquille, se mettent à terrasser leur adversaire avec des mâchoires de crocodile. Helga (et moi aussi) lui envierons cette réserve, ce calme où il peut puiser à volonté sans jamais donner de signe de faiblesse ou d'épuisement. J'ai l'air de me moquer de lui. N'en croyez rien. Il n'est pas raisonnable de se moquer des gens « efficaces » et « pragmatiques » — deux mots qui n'ont à mes yeux aucune ombre de réalité. Car c'est bien Marc qui, un jour, poussa Helga et Pierre (nous allons faire les présentations en temps voulu) à acheter une maison plutôt délabrée du quartier oriental.

Avec un flair évident, il avait réussi à convaincre la vieille propriétaire de vendre sa maison en trois lots distincts afin de donner toute garantie à l'investissement individuel que cet achat représentait, et permettre en même temps de concrétiser les désirs communautaires les plus simples. Si cette aventure avait, en outre, révélé que le Droit ne privilégie que la propriété des géniteurs mariés et n'ouvrait aucune possibilité d'un « droit relationnel » plus complexe et plus riche, autorisant, par exemple, dix personnes à obtenir un emprunt pour réparer une maison qu'ils promettent d'habiter familialement, elle avait aussi permis de vérifier la compétence et l'expertise de Marc pour rendre concret ce qui, dans la bouche des autres, demeurerait trop souvent chimérique. Le monde sera toujours séparé entre ceux qui ne s'intéressent qu'aux hypothèses et ceux qui veulent arriver le plus vite possible au résultat final.

Helga s'était réjouie de l'emplacement de cette maison. Pendant que l'on s'étonnerait des charmes « typiques » du quartier (en fait, tous les immeubles environnants étaient notoirement insalubres et promis à une destruction certaine), quelques visiteurs plus curieux chercheraient une explication plus rationnelle à leur impression de surprise et finiraient par découvrir que le luxe de la villa avait quelque chose de doublement marginal puisqu'il venait exulter non pas dans une région où il a l'habitude de se reproduire mais dans un terrain vague où il n'était jamais entré.

Il suffisait de pousser la porte du jardin pour apercevoir le contraste : bannies, les étroites allées de ciment ; arrachées, les mauvaises herbes ; disparues, les plantes ingrates. Toutes sortes de plantations verraient le jour derrière les grilles et le long des murs : glycines, fausses digitales, rosiers, massifs de camélias. Émondé, un grand mimosa viendrait effleurer prudemment la verrière qui courait sur toute la façade. La verrière, avec son principe de cage, serait l'occasion d'une deuxième surface de verdure et le bow-window géant, dissimulant à peine les dizaines de pots de fleurs, de vases ou de paniers qui s'y entasseraient comme dans une enclave, dresserait entre la villa proprement dite et le jardin, un front moussu, une alèze, où iraient buter des jets de pluie ou de poussière.

La verrière ouvrait sur le « basement » communautaire — ancienne cave devenue salon — ; Helga occuperait le premier étage ; Pierre et son fils Boris, le second ; Marc, le troisième ; quant à moi, seul locataire du lot, je me contenterais de la vaste mansarde (comme les chats de gouttière).

Le salon avait pour seul meuble un grand divan recouvert d'un arbre de vie indien et d'un fouillis hétéroclite de coussins de kapok dont les formes n'avaient — délibérément — rien de fonctionnel : croissants de lune, berlingots, cubes, manchons, étoiles de mer, hauts-de-forme. S'asseoir sur ce divan revenait à s'enfoncer dans une matière mouvante et à déraper dans une instabilité permanente. Il serait toujours amusant de voir de nouveaux invités un peu déconcertés faire le tour de ce divan, s'accrocher au bord avec des doigts crispés, comme on s'attache à un formalisme, puis perdre progressivement le contrôle de l'équilibre. Pendant tout ce temps, Helga, immergée au fond d'un océan molletonné, ferait voltiger entre ses doigts de petits coussins, les invitant à disputer avec elle une partie de water-polo.

Cette scène du divan se répliquait invariablement avec chaque nouvelle vague de visiteurs.

J'ai dit que la villa avait un salon ; mais elle avait avant tout un jardin. Helga partageait avec Pierre (qui avait

34

divorcé autant avec la médecine traditionnelle qu'avec la mère de Boris), une passion pour les plantes qui n'avait rien d'une botanique ordinaire. Moi qui ignore (comme vous, je suppose) jusqu'au nom des fleurs (sommes-nous ignorants !) ne savais pas davantage qu'un jardin pouvait devenir l'enjeu et le reflet d'un vaste exercice d'écriture, d'érudition ou de peinture. Or derrière chaque nouvelle plantation du jardin sommeillaient un rêve non réalisé (et qui trouvait là enfin l'ébauche d'une expression) ou bien une figure de style — car le jardin sécréterait aussi ses marques de rhétorique. Utopies réalisables, les plantes seraient le prétexte de grandes discussions. Il y avait des désaccords : on les surmontait à coup de graines, de semis, de sécateur ou d'arrachage. La première et durable polémique porterait — évidemment — sur l'idée de « nature », que Pierre, en herboriste consciencieux, défendait. Helga ne voulait pas entendre prononcer ce mot, cette monstruosité. Au « désordre hippie », au naturalisme écologique qui, à ses yeux, « constituait le refuge d'un patriarcat primitif et tribal », Helga avait substitué des valeurs de remplacement toutes fondées sur « la primauté du monde humain ». Au besoin, elle rappellerait, comme Vita Sackville-West dans son *Garden Book*, que « celui qui a dit que la Nature ne se trompe jamais sur l'harmonie des couleurs était ou bien insensible aux couleurs ou bien une sorte de sentimentaliste. Car la Nature fait d'horribles erreurs et il nous appartient, à nous, les jardiniers, de les contrôler et de les rectifier. » Dont acte.

Il n'était pas question de laisser quoi que ce soit à l'abandon et à chaque instrusion d'une nouvelle plante dans l'espace communautaire un compromis était trouvé.

Helga avait suggéré — en fait, exigé — l'idée d'un jardin anglais, avec ce que cela suppose de fausse jungle et d'ordre sauvage, même pour les graminées les plus nobles. Boris et Pierre continueraient de faire des expériences au deuxième étage de la villa ; ainsi feraient-ils pousser des noyaux d'avocat bien avant l'époque où l'avocat serait devenu le fruit-légume le plus populaire ; ou bien ils feraient fleurir des pommes de terre germées que des tripodes d'allumettes maintiendraient en équilibre au-dessus de pots de yaourt préalablement remplis d'eau et de coton.

Hétéroclite, internationale, parodique, la flore du jardin des Verseaux présentait aux visiteurs un caractère bien plus original — ou inquiétant — que tout le reste. Car si un œil observateur pouvait déceler la trace de nombreux voyages faits au Marché aux fleurs d'Amsterdam dans les yuccas et ficus benjamini de la verrière, le sens d'ensemble de la composition florale dépassait l'entendement moyen. Les références paysagistes cachaient des excursions intimes, littéraires ou purement touristiques. Quelques promenades au Jardin des plantes avaient ramené des idées et des noms de fleurs — à défaut de boutures : dahlias Rêverie, giroflées Poulenc, abutilons Gold Clock, sauges bleues Victoria, grandes alvéoles jaunes. Et si l'on admet que tous les musées du monde veulent réunir toutes les œuvres d'art, de même que les herbiers veulent rassembler toutes les fleurs, il n'y a pas de raison d'exclure le même principe d'hégémonie pour les jardins. On voit déjà trop clairement où cela nous mène : vers la manie du collectionneur, qui s'intéresse moins à ce qu'il collectionne qu'à l'idée qu'il se fait de sa collection.

Si l'esprit de Sissinghurst flottait un peu partout dans les buissons du jardin, c'était en partie par provocation avec l'air du temps ; l'exagération irrécupérable de ce jardin et son luxe personnalisé avaient quelque chose d'un affront volontaire. Inscrits sur de petites étiquettes de bois, les noms des massifs de roses représentaient à eux seuls une forme de contestation par l'esthétisme ou par le dandysme qui ferait plus tard école, bien au-delà du cercle restreint des Verseaux. Qui n'aurait eu envie de cueillir Albertine, Black African (mention spéciale), Conque de Vénus, Cuisse de nymphe, Félicité et Perpétué, Goldfinch, Gypsy Boy (un délice), La Belle Junon, La Reine Victoria, Le Rêve (un rêve), Rien ne me surpasse (c'est vrai), Roi des pourpres (et j'en passe), Tour de Malakoff, Tout aimable ?

Les décadentistes français du siècle précédent n'étaient pas en reste, pour l'esprit floral de la verrière et du jardin. Helga avait enfin trouvé un intérêt à cette institution des Goncourt lorsqu'en lisant leur *Journal,* elle avait vu qu'ils avaient courageusemnt « déclaré la guerre aux belles grosses roses bourgeoises bien portantes » avant de lancer la mode d'une évanescente rose répondant au credo fin de siècle : Madame Cornelissen. Était-ce de cette époque que nous avions extrait le goût des plantes rares ? Les japonaiseries n'avaient-elles pas fait leur apparition sous le second Empire ? Car un engouement voisin semblait se répliquer un siècle plus tard : le port de yukatas au déjeuner, les bonsaïs, la conception modulaire et crue qui prévalait dans la gastronomie communautaire, l'usage des tatamis et des bains collectifs (elle en ferait couler de l'encre la baignoire ronde de la salle de bains d'Helga !) : tous ces éléments et ce décor avaient, à la base, une justification culturelle. Rien n'était laissé au hasard, puisque « le hasard n'existe pas », répétait Helga, à qui voulait l'entendre.

Lassitude devant la vulgarité de l'époque, efficacité d'esthète, la démarche d'Helga reflétait aussi cet appétit que, par nature, elle avait du mal à refréner. Chaque fois que j'allais cueillir des fleurs dans le jardin — et qu'elle m'accompagnait — devenait pour Helga le prétexte d'une conférence. À propos de marguerites blanches banales, Helga trouvait le courage de se rappeler ce passage où Vita parlait du rêve où elle n'avait vu « que des fleurs blanches avec de petits buissons de fleurs d'un rose très pâle ». Et d'autorité, elle rajoutait à mon bouquet famélique deux ou trois roses de Chine comme pour y insérer sa citation. Quand Boris parlerait de drogues, il se croirait à l'abri d'exposés sur l'histoire des drogues, comme si la génération à laquelle il appartenait en avait le monopole. Helga, bien sûr, intervenait. Mais elle prendrait un air embarrassé, elle, pour qui tout était littérature, lorsque Boris lui proposerait une critique empirique de ce que Baudelaire disait du haschich dans *Les Paradis artificiels*. Ses descriptions étaient-elles exactes ? Boris en avait conlu qu'il fallait essayer d'en fumer en groupe ; chacun dirait ses impressions, prendrait des notes. Prise à son jeu, Helga ne pourrait décliner l'offre et, bien sûr, au moment de rendre sa copie, elle saurait être plus pointue, plus érudite que jamais. Aux points, elle gagnait toujours dans les « quiz-games » qu'elle suscitait ou inspirait. La culture littéraire d'Helga devenait chez elle un jeu de l'oie où des cases menaient à d'autres cases, indéfiniment, de même que de nouvelles fleurs conduisaient naturellement à d'autres fleurs. Et dans tout cela perçait un principe de confusion, voire un esprit de conquête. Confusion et mélange, jusqu'à la cacophonie, des espèces, dans un jardin qui serait toujours comme le baromètre de l'air et des idées du moment. Et lorsqu'elle écrirait dans son Journal, à propos du jardin : « Je crois au pouvoir de l'exagération ; je crois aux groupes, aux masses, pas aux éléments individuels. Il est plus important de mêler dix tulipes à un carré de roses d'Inde et de grands chrys que de les séparer en de petits alignements distincts », ce serait en fait pour dire que ce qui s'appliquait au jardin pouvait s'appliquer aussi à d'autres zones de l'existence.

L'esprit de prolifération de la Villa, sa volonté d'exotisme, son désir de faire cohabiter plusieurs géographies et plusieurs climats ensemble n'étaient pas confinés à ces bosquets de papyrus et à ces cactus posés au milieu d'azalées, de pieds-d'alouette et de bordures de fuchsias. L'architecture même de la maison englobait ce cosmopolitisme disséminé, comme si on avait voulu y faire rentrer toute la culture du monde (vœu pieux). De l'extérieur, la Villa combinait le système d'appartements divisés des maisons de bois victoriennes et le principe des terrasses d'un habitat latin. L'intérieur était un mixte étrange d'Orient et d'Occident. L'Inde (où tout le monde voulait aller) était présente. Mais chaque pays ou chaque culture (représentée ou invoquée par une fleur, un objet ou un bâton d'encens) devait faire face à la compétition contradictoire d'autres présences. Pour résumer, disons que le décor de mes futures aventures était à l'image du devenir bâtard, métissé et antiprovincial du monde. Helga détestait le radicalisme de certains de ses collègues, et elle ne condescendait à polémiquer que si son interlocuteur présentait un intérêt physique supérieur à sa rhétorique.

Ainsi avec « Géronimo » (le surnom de guerre du chef de la plus grande organisation militante du campus), Helga prendrait un malin plaisir à torturer le splendide spécimen de race virile de trente-cinq ans qu'il était et qui était venu à elle avec le secret espoir de séduire son âme pour le compte du « parti ». Le scepticisme d'Helga lui ferait détruire une à une toutes les convictions de Géronimo, ne lui laissant d'autre choix que d'assimiler son point de vue ou de retourner pitoyablement dans sa réserve. « Toutes les philosophies en " isme " sont périmées, disait-elle. Le marxisme ? Une mécanique infantile ! Le surréalisme ? Une école de professeurs !

— Tu ne crois pas que tu exagères un peu, non ? répondait Géronimo.

— À peine. Les surréalistes français ont écrit des poèmes à la gloire de Staline. Certes, pas tous, mais enfin ! Et puis cet épouvantable concept de " la Femme " que véhiculent Éluard et Breton : c'est répugnant, verbeux, vide ! Ce sont des élégiaques. Tu sais ce que Baudelaire pensait des élégiaques ? Il disait que c'était de la merde, rien que de la merde ! Avoir osé tirer un trait d'égalité entre le " changer la vie " de Rimbaud et le " transformer le monde " de Marx c'est la plus grande imposture intellectuelle du siècle. »

Non, la grande affaire, celle qui mettait en déroute toutes les théories politiques, c'était non pas le sexe, mais « les stratégies corporelles et érotiques ». Croyant bien faire, Géronimo préciserait que son organisation était ouverte aux mouvements féministes. Mais, avec une grande solennité, Helga balayait d'un revers de main cette ouverture : « Tout ça c'est très gentil. Mais c'est quand même un phénomène de voir des féministes se transformer en ligues de vertu et des lesbiennes réfuter ce qu'elles nomment " la promiscuité " en échange d'une banale monogamie. Renverser les rôles, c'est bien ; mais les multiplier pourrait être autrement passionnant. »

Avant de mettre un point final à son exposé, Helga s'affalait un peu plus sur le divan communautaire, caressait les dos ronds des chats, tirait sur sa cigarette avec langueur, puis elle se redressait en poussant derrière elle une dizaine de petits coussins ; son grand corps de bouddha prenait ses aises et, la tête légèrement inclinée, ses deux yeux se mettant à pétiller comme deux mûres acidulées qui viennent s'aligner parfaitement l'une à côté de l'autre dans une machine à sous, elle annonçait enfin l'aphorisme du jour, avec tout le soin et toute la circonspection des politiciens qui lâchent un bon mot en pleine conférence de presse : « Je suis en train de réfléchir à un manifeste sensualiste. S'il faut un dernier " isme ", je crois que tout le monde peut se mettre d'accord sur le mot de " sensualisme ". » Elle se garderait bien, dans un premier temps, de préciser d'où lui était venue cette idée et sur quoi elle la fondait.

À Pierre qui, séduit par ce nouveau mot, lui demandait ce qu'elle voulait dire par là, elle dirait : « Je pense que lorsqu'on est jeune, par exemple, on ne devrait pas hésiter à offrir son corps au plaisir des vieux ; autre exemple : lorsqu'on est reçu par des gens qui proposent de vous loger, on devrait faire un effort pour accepter toutes leurs avances. » Helga, qui mettait un peu de provocation dans sa démonstration, faisait du « sensualisme » une loi d'hospitalité. Donner (en fait, louer à titre gratuit) son corps à des inconnus impliquait naturellement qu'on puisse s'affranchir (enfin !) des pesanteurs

41

habituelles qui censurent l'intensité éventuelle de nos plaisirs ou qui constituent le prédicat de ces plaisirs : des choses telles que les « liens affectifs », les « goûts communs », l' « attirance physique », le degré de la « passion ».

Cette idée de sensualisme n'était pas qu'un effet d'érudition. Elle était le résultat d'une pensée paradoxale et d'une méthode paradoxale qui avait fait la réputation des cours d'Helga. C'est par cette méthode qu'Helga pouvait lever de véritables principes de base dans des textes parfaitement anodins ; elle saurait d'instinct repérer sous le rire ou l'ironie qui accompagnait la réfutation de certaines idées, ce qui, dans cette réfutation pouvait être retenu comme matière à réflexion : toucher du doigt les questions que soulevaient des phrases aux allures de sentences, domestiquer ces questions et se les approprier, les tourner et les retourner en se disant qu'on va bien finir par en tirer quelque chose mais en sachant que ce quelque chose serait tout juste frôlé, jamais atteint, si l'on veut bien admettre que les idées sont par définition provisoires, parce que perpétuellement modifiables, et donc absolument ingouvernables : toute cette activité prudente se doublait chez Helga d'une vigilance exceptionnelle (voilà un adjectif qui lui va très bien).

En libérant ce mot de sensualisme dans l'espace communautaire Helga envisageait sans doute la possibilité de sa mise en pratique ou de son extension, sachant trop à quel point sa proposition s'accordait pleinement à ce qu'un philosophe allemand nomme « le dimanche de la vie », quand l'Histoire, définitivement dépassée, ne compte plus au rang des premières obsessions. Le sensualisme d'Helga serait comme elle : massif, abusif, excessif, tout en rondeurs. Imaginez un peu le ridicule si j'avais été le porte-voix de ce mouvement.

Pour assumer sa singularité, la Villa des Verseaux n'avait pas qu'un jardin et un divan-salon. Elle avait aussi une gastronomie. Tout visiteur qui aurait lu, avant d'accepter une invitation à notre table, un court passage de *L'Isle des Hermaphrodites* en aurait déduit après coup que l'excès de rigueur dans le raffinement ou la recherche culinaire du dîner était en parfaite harmonie avec les commandements de ce texte : « Les banquets et festins, y lit-on en effet, se feront plutôt de nuit que de jour avec toute la superfluité, prodigalité, curiosité et délicatesse que faire se pourra. ... (voulons) que toutes les viandes soient déguisées et que pas une ne se reconnaisse en sa nature, afin que nos sujets prennent nourriture en pareille forme qu'ils sont composés. » Pirater le mot de nature, lui faire rendre gorge : tel était l'impératif souverain dans l'esprit d'Helga, un impératif que bientôt je ferais mien. Car la nature est révoltante, c'est assez évident. Quel saint de quelle nature faudrait-il louer de m'avoir donné une façade aussi malingre et quelle divinité Helga eût-elle dû remercier de l'avoir soumise à une dilatation aussi disproportionnée de son volume ?
Cette révolte naturelle contre la nature fondait naturellement la nécessité des maquillages, des diversions, inversions, perversions les plus élémentaires.
Mais retournons à table. Astreinte à un régime diététique particulièrement sévère qui finirait par lui faire perdre quelques kilos (à moins que ce ne fût déjà un effet de la maladie), Helga se forcerait néanmoins à concevoir

des dîners gastronomiques. Menu exemplaire d'un samedi soir pour six, sept personnes : énorme turbot acheté le matin au marché et cuit à la vapeur dans une poissonnière avec de l'aneth, du gingembre, du persil, des zestes de citron et des brins de soja (à la vietnamienne) ; crabe farci au curry (dans la règle de l'art : les pattes doivent être cassées alors que la bête est encore vivante) ; rouleaux de printemps servis comme les nems, avec de larges feuilles de laitue, et de menthe fraîche. Si Helga ne devait, en principe, manger aucun plat épicé ni boire d'alcool, bien entendu elle contreviendrait à toutes ces prescriptions barbares car c'était plus fort qu'elle.

L'importance des discussions culinaires suppléait à la carence d'esprit de conversation qu'Helga remarquait fréquemment chez les autres. Rien ne la désespérait davantage que de surprendre en défaut de cuistrerie le collègue de l'université, l'écrivain « connu », le journaliste « influent » ou le « jeune photographe » qu'elle avait réunis autour d'une même table. Pour éviter cela, donc pour interdire le défilé des citations (inexactes et tronquées), l'échange des bons mots ou des anecdotes, Helga avait décidé que la seule recette d'harmonie entre des convives reposait sur le degré d'élaboration des repas. Si chaque dîner pouvait se transformer en une « dinner-party », inscrivant dans la tête des invités une mémoire mémorable des plats, alors l'attention des gens serait concentrée sur la surface de bois de la table, sur les motifs bleus de la faïence anglaise ou la surprise d'un chablis de Californie. Dans ces dîners, Helga s'acharnait à démontrer que l'art culinaire est un art parmi d'autres et qu'il exige des efforts d'imagination ou d'inspiration. Ainsi un plat de concombres (cuits à l'eau puis passés au four avec des herbes de Provence) permettait-il d'étonnantes conversions qui réconciliaient ces deux paramètres ennemis : la teneur en calories des aliments et leur saveur. Même lorsqu'elle serait malade, Helga refuserait de se laisser gouverner par l'autocratie d'un régime. Les recommandations diététiques changeant avec les prescriptions (qui elles-mêmes changeaient avec les médecins), il faudrait ruser avec les gastronomies, les « cuisines » et les diètes. Rien — croyait-elle — ne la contraindrait à l'esclavage triangulaire du « riz, carottes, bananes » destiné aux panses aérophagiques et aux intestins diarrhéiques. Au besoin, on achèterait de nouveaux livres et le temps des viandes grillées pourrait succéder à la saison hypervitaminée des légumes. L'important était de concevoir une nourriture assez maquillée pour qu'elle puisse dissimuler son apparence de potion et assez simple pour qu'on puisse la reproduire sans trop de difficulté. Personne ne devrait deviner, lorsqu'on mangerait des travers de porc grillés à la citronnelle (mais dégraissés avec une sauce au citron) que ce menu trahissait un principe diététique (nourrir Helga sans la gaver) mais en cachait un autre (nourrir Helga non pour qu'elle maigrisse mais pour qu'elle conserve son poids invalidant par nécessité médicale).

Bientôt, cependant, toute cette mise en scène serait interrompue par des entractes de plus en plus fréquents, lorsque, prise d'une violente colique, Helga passerait une partie du repas réfugiée dans la salle de bains ; l'idée de sa diarrhée, que rien ne semblait pouvoir arrêter, me ferait mal, comme par contagion. Je saurais, selon le temps qu'elle resterait enfermée dans la salle de bains, quelle était la gravité ou la qualité de sa diarrhée et, avec une empathie semblable à celle qu'un bon traducteur doit éprouver pour le texte qu'il veut traduire, je devinerais progressivement le désespoir — ou le plaisir secret — qu'elle prendrait au cours de cette retraite. Je la verrais, assise au bord de la baignoire, les coudes penchés en avant sur les genoux, en train de se laver les fesses (après s'être libérée d'une boue brûlante et purulente) avec un jet d'eau froide, dans l'espoir que cela pourrait calmer temporairement les douleurs aiguës et les cernes rouges qui s'étaient imprimés sur l'anneau de son anus congestionné.

Il est dommage que la diarrhée n'ait jamais eu vraiment les honneurs d'une littérature authentique (c'est-à-dire autre que médicale) car je comprendrais peut-être plus clairement l'élan de mimétisme qui me poussa à adopter les postures d'Helga et pourquoi je me suis acharné, par la suite, dans mes singeries, à reproduire en moi certains de ses maux de ventre. Disons que ma nature fondamentalement colitique (car toute nourriture ingurgitée semble prendre en moi la direction immédiate du transit intestinal sans même s'arrêter au carrefour de l'estomac) trouva dans les diarrhées d'Helga la certitude d'une noblesse et d'une douleur qui, chez moi, restaient inapparentes.

Les méthodes utilisées par Helga pour soulager ce qui l'affligeait ne cessèrent de me fasciner, comme celle, par exemple, de se vider les intestins avec le tuyau de la douche, lorsqu'elle sentait que son ventre lui faisait un ballon. Elle m'avait expliqué que c'était là, par ailleurs, le meilleur moyen d'éviter d'aller trop souvent aux toilettes et qu'en plus « on avait le sentiment d'avoir le cul propre ». Et je dois dire que j'utiliserais fréquemment cette technique, prenant plaisir à déféquer dans la baignoire plutôt que dans la cuvette trop banale des W.-C. N'y voyez pas un symptôme aggravé de scatologie mais la simple conversion à un nouvel exercice d'hygiène et, peut-être — pourquoi ne pas l'avouer ? — à un nouveau plaisir sensuel. Sentir son rectum gonfler comme une outre, avec l'enivrante impression de peser soudain plus lourd, puis relâcher (en poussant) l'eau et les matières fécales qui iraient se noyer dans le siphon, reprendre le tuyau de la douche, augmenter la pression de l'eau, rincer la baignoire de sa boue fluviale, jusqu'à ce que l'eau soit aussi claire sur la surface émaillée qu'au fond d'un verre, se rincer les fesses avec du savon de Marseille (excellent fongicide), contracter les muscles du sphincter avec un brusque jet d'eau glacée projetée sur l'anus : outre la découverte de sensations dites périphériques, je m'apercevrais qu'enfin il n'était pas plus anormal d'accorder autant d'attention à l'entretien de son cul qu'à celui de sa bouche ; mieux, la véritable surprise n'était-elle pas de savoir que, dans ces domaines pénétrés d'hygiène, de morale et de plaisir, son propre cul était bien la zone inverse de la bouche : comme un sexe opposé au sexe de la bouche.

Mais je m'égare. En fait, si les diarrhées d'Helga me permettaient d'explorer une analité longtemps ignorée, sous-estimée ou méprisée (car l'idée que nous sommes avant tout des êtres de puanteur déplaît à l'idée que nous nous faisons de la civilisation ; c'est dommage), elles seraient aussi comme autant de feux clignotants et de signaux d'alarme d'un état de santé dont je finirais par relativiser la gravité. Or le temps qu'Helga passerait à la salle de bains aurait la durée apparente d'une opération chirurgicale et le délai d'une convalescence.

47

Quand elle reviendrait au salon, dans un bruissement ineffable de soie, tenant à la main un livre ou un magazine, elle serait prête à accrocher le premier wagon de la conversation mais en aucun cas à parler d'elle ou de sa santé. Tout au plus admettrait-elle, une fois que les invités se seraient retirés, qu'elle s'était sentie soudain très lourde et, en présence de Pierre, elle accablerait un médecin absent. (« Il n'en a rien à foutre de mon cul et de mes diarrhées ; tout ce qui l'intéresse c'est de mettre un nom sur ma maladie. »)

Enfin, après le dîner, vers onze heures, Helga annoncerait qu'elle souhaitait se retirer ; mais elle ne quitterait pas la pièce sans avoir consulté deux ou trois fois le dictionnaire, rectifié une étymologie ou un point de géographie et donné l'histoire d'un nom propre. Si par malheur un terme médical perçait le nuage enfumé de la conversation, Helga réhabilitait dans l'instant Montaigne, égrenait les meilleures perles d'une anecdote puis prenait congé de l'assemblée après avoir roulé dans la farine toutes les Académies de médecine. (Une fois qu'elle serait partie, Pierre, le brave Pierre, prendrait le relais et retrouverait la citation manquante de Montaigne en tirant — que dis-je ! — en pompant sur sa pipe : « Je ne vois nulle race de gens si tôt malade et si tard guérie que celle qui est sous la juridiction de la médecine. » À la longue, Pierre finirait par s'excuser d'être médecin et il changerait de métier. Mais il conserverait toujours sa pipe.)

Jamais Helga ne se crisperait, comme lui, au barreau d'une citation. Car son intelligence ne connaissait pas d'échelle. Et si cette intelligence ferait le tour de nombreux campus c'est parce qu'elle se déployait dans

48

l'instant où l'on réclamait ses prouesses et pouvait dérouler avec une stupéfiante facilité la cohorte de références nécessaires à sa démonstration. Helga répugnait, au fond, à l'emploi des citations et n'y avait recours qu'en cas d'absolue nécessité. Et quand elle le faisait, elle semblait s'excuser de sa démarche, comme si utiliser les mots des autres avait en soi quelque chose de morbide.

Mais il est temps d'aller au lit et déjà Helga s'éclipsait dans sa chambre. Un bruit de métal en provenance de la salle de bains serait la preuve du passage rapide du corps douloureux d'Helga sur la petite balance bleue et, à la qualité sonore de ce bruit, une oreille indiscrète ou soucieuse (la mienne) devinerait la lassitude qui déjà emplissait des poumons fatigués d'une respiration nerveuse. La nature de sa pesanteur — un sentiment de fatigue après chaque repas, l'impression d'étouffer chaque fois qu'elle montait un étage, une envie de dormir comparable à celle des victimes de la mouche tsé-tsé et qui fait du sommeil une maladie, non un repos — rappelait à Helga son envie de chimères et sa volonté de vivre certaines d'entre elles.

Longtemps elle avait paressé, accumulant des documents découverts au cours de longs séjours en bibliothèque, laissant vieillir dans des tiroirs les notes que ces documents avaient occasionnées, ne sachant pas si cette nouvelle archive qui se superposait à la première conduirait à autre chose qu'à une collecte aveugle d'informations hétéroclites. Mais chaque trouvaille lui avait procuré un délicieux plaisir (comme une titillation de la moelle épinière, où sont logées les vraies sensations, n'est-ce pas cher Mac Nab ?), ainsi que la satisfaction de pouvoir renouveler la matière première qui servait à nourrir les étudiants de ses cours magistraux. Car le prestige de l'archive — qui est à la base du plaisir de l'érudition et, sans doute, son seul mérite — rejaillissait autant sur son découvreur que sur l'auditoire.

Dans la pratique de l'enseignement, Helga voyait la source d'une culture de l'Instant qu'elle savait parfaitement dissocier de son activité créatrice. « C'est une question de discipline », dirait-elle pour expliquer comment elle pouvait à la fois enseigner, écrire des articles et travailler à un livre. « Et puis moi je ne passe pas mon temps à cabrioler ou à " caracoler ". »

Écrire était pour Helga l'affirmation — ou la preuve — d'une relation consciente entre soi et le temps. Et n'est-il pas naturel qu'une œuvre bien pensée puisse donner à son créateur le sentiment qu'elle va lui survivre et que, donc, toute pensée est vivante ? Curieusement j'aurais un moment l'impression que son livre progressait à mesure que la maladie gagnait du terrain. Or, comme ses cours étaient déjà très célèbres et convoités sur le campus et qu'en même temps elle n'avait aucune œuvre véritable publiée, Helga était assaillie de doutes. Serait-elle capable d'achever le travail amorcé depuis plusieurs années ? Un tel livre résisterait-il, parce que mûri lentement, à l'usure du temps ? On l'interrogeait souvent sur ses projets et ses amis ou ses collègues estimaient impossible (ce qui n'allait pas sans sous-entendus) qu'une telle science n'eût pas encore trouvé expression dans un livre.

En fait ce n'est pas la pression publique ou l'anxiété causée par son affliction qui poussa Helga à accélérer ses recherches, à un moment qui coïncidera d'ailleurs avec mon entrée en scène : c'était l'idée même du « sensualisme » qu'elle était en train de développer. Écrire

régulièrement deviendrait la plus naturelle des expériences sensuelles quand Helga se rendrait compte que
ses recherches lui permettaient de faire le point sur elle-
même, comme un exercice de méditation, et de transformer, sans l'altérer, sa vie. Car chacun sait que la fiction
est plus forte et plus libre que la vie.

D'une maxime d'Épicure, Helga ferait une règle de
conduite pour multiplier les amitiés. Avoir peu d'amis
mais leur être fidèle, inviter chez soi des inconnus, tels
seraient certains des principes de la Villa des Verseaux. Et
du reste n'est-ce pas ainsi que je ferais la connaissance
d'Helga dans l'un de ses bars favoris (le bar de L'Univers) ? Inconnu à ses yeux, je l'étais, même si j'avais déjà
assisté à ses cours depuis un trimestre. Mais comment lui
reprocher de n'avoir pas remarqué une ombre ?

Spontanément nous nous étions tutoyés, comme si les
tutoiements de confrérie étaient imposés par la situation
informelle. Helga n'était plus le personnage austère dont
on allait écouter le prêche dans un amphithéâtre. Entou-
rée d'un substantiel échantillon de foule, elle riait de la
moindre plaisanterie, ses yeux pétillant de joie derrière
d'épaisses lunettes, comme fermement décidés à absorber
l'enthousiasme des autres ou à profiter au maximum de
cette cure collective. Généreusement elle offrait de payer
tous les verres commandés à sa table — les bières, les kirs,
les whiskys ou les « champagnes normands » ; cette
insistance lui procurait d'autres formes de reconnaissance. Nullement dupe si « le Viking », une beauté
nordique musclée (mais défectueuse), s'approchait de sa
table, elle savait qu'il venait se faire offrir un verre et ne
voyait aucune raison de le priver de ce plaisir à partir du
moment où il lui donnait en échange l'assurance d'une

conversation. Et sans doute le confort qu'elle mettait ainsi à la disposition des autres grandissait à l'extérieur son image morale ; personne ne pourrait lui reprocher l'amitié d'hospitalité qu'elle laissait croître autour d'elle comme une plantation sauvage. Car Helga savait que le goût de l'hospitalité était (surtout en France) la vertu la moins partagée de ses contemporains sans doute trop occupés à remplumer l'idée qu'ils se font de leur « Moi » et qui, parce qu'ils confondent l'essentiel et le futile, estiment que leur indépendance est en danger s'ils vont au-delà d'eux-mêmes. Mais Helga avait certainement en tête le mot de son philosophe préféré : « Il faut se prêter à autrui et ne se donner qu'à soi-même. » Et si l'on avait examiné très attentivement Helga on aurait noté immanquablement une certaine distance dans son regard ; cette distance était celle qu'exige toute activité réelle de la pensée. Helga écoutait toujours deux conversations : l'une, extérieure à elle-même, qui la mettait en contact avec les autres et l'autre, tout intérieure, et qu'elle menait avec elle-même. Parfois un sentiment de distorsion entre les deux indiquerait qu'elle était pressée de retourner à ses centres d'intérêt privés et soucieuse, par courtoisie, de répondre de manière aussi satisfaisante que possible à ses interlocuteurs. Tout penseur véritable préfère d'instinct un bavardage de qualité avec lui-même plutôt qu'un ersatz imprécis de conversation avec les autres.

À quoi pouvait penser Helga lorsqu'elle entrait au bar de L'Univers ? Cette incursion dans un territoire indécis lui rappelait-elle son enfance, les fugues qu'elle avait organisées, les monstres qu'elle devait fuir dans une cour d'école (comme moi, mais pour des raisons inverses) et qui pointaient un doigt menaçant dans sa direction en criant : « C'est la grosse Bêta ! » ?

Le soir de notre rencontre, Helga me ferait une confidence, en présence de Pierre, à propos du Viking : « La première fois que je l'ai vu ici, au bar, il était complètement saoul. Il a voulu s'asseoir à côté de moi et a commencé à me traiter de pute ! Je lui ai vidé un verre de bière à la figure et on s'est tapés dessus. Mais depuis, on s'entend très bien ! »

Et en effet, comme deux truands qui passent une alliance provisoire pour mieux échapper à la police, Helga et le Viking avaient noué une solide complicité. Dépourvu de cette distance intellectuelle dont Helga s'était dotée, le Viking s'exprimait par sarcasmes. Était-ce pour signaler le contraste existant entre sa jambe d'infirme (déformée par la polio) et son beau visage ? L'ironie mordante d'Helga semblait étrangement compléter son attitude.

Et il est parfaitement concevable qu'Helga ait pu être fascinée par ce jeune homme de vingt ans qui promenait une canne partout avec lui, la posant sur une table ou sur le comptoir ou bien la plantant au sol avec un certain agacement, comme si c'était sa façon d'annoncer la jambe amaigrie, le membre indigent et sous-développé et comme si, au lieu de masquer cette faiblesse, il s'acharnait à en faire un capital d'orgueil. Il possédait une vaste collection de cannes et, peu après leur rencontre, Helga s'était étonnée de le voir chaque fois avec une nouvelle canne.

« Tu as combien de cannes ? avait-elle demandé.

— Une centaine, pourquoi ?

— Pourquoi autant ?

— Pourquoi pas ? J'aime les cannes... »

Dans cette réponse il y avait l'absurdité d'une question. Les cannes prolongeant les membres invalides du Viking devenaient autre chose que de simples prothèses. Elles étaient à la fois la jambe, le pantalon ou la chaussette qui recouvrent la jambe et l'habillent. En fait, la diversité et la qualité de cet assortiment de cannes donneraient au Viking une démarche élégante, qu'il ne pouvait plus avoir naturelle. On remarquait ses cannes ; pour ne pas parler de son pied ou de sa jambe. En stylisant ainsi sa démarche il donnait une chance à son infirmité d'apparaître au monde et d'exister « positivement ». Au lieu de signaler un manque ou un défaut, elle signalait une originalité de dandy. Certains soir sa canne serait l'objet d'une longue conversation. Une canne-épée et une canne à pommeau d'argent seraient le prétexte de digressions policières et romanesques. En d'autres termes, il avait réussi à faire parler de son invalidité sans qu'elle soit jamais mentionnée. À la fois emblème et bâton de bois prosaïque, la canne attirait tous les regards. On venait la soupeser, examiner la beauté ouvragée de la poignée, tester la ferrure de la virole ; des mains caressaient le vernis du bois et certains gestes — assez obscènes si on les avait considérés pour eux-mêmes — faisaient croire qu'en touchant cette canne, c'était lui, le Viking, qu'on palpait, puisqu'elle était l'extension la plus agitée, la plus sensible et la plus importante de son corps. « Tu sais, le Viking, il a des rapports conflictuels avec sa canne, préciserait Helga. Certains soirs, il en a marre, on dirait qu'il veut la balancer comme s'il voulait se balancer ! »

Standardiste dans une maison d'édition, depuis qu'il avait interrompu ses études, il avait proposé à Helga d'écrire sous sa direction une thèse portant sur « une histoire de l'invalidité », mais il avait en tête d'inverser le problème. Il ne s'attarderait pas à décrire ce qui révèle une maladie — les symptômes, la nosologie — mais s'attacherait à montrer ce qu'une maladie révèle : toute une sociologie du comportement, un regard aigu et sensible, des effets de mode.

Comme moi, bientôt, il avait été invité à venir voir Helga jusque dans son territoire intime. Car ne perdons pas de vue que sur la balance du monde un pied-bot peut faire contrepoids à un ventre obèse. Il n'y a pas d'infirmité superlative ou supérieure et personne ne peut afficher, en la matière, de monopole. C'est ainsi que mes os pointus valent tous les bidons du monde. (Mais je suis prêt à avouer que j'ai toujours trouvé étrange l'équivalence faite entre un kilo de plomb et un kilo de plumes.) N'allez cependant pas croire que la Villa fut le refuge de tous les éclopés.

« Je suis puceau » : cette phrase, prononcée sèchement dans un souci évident de provocation, avait fendu l'atmosphère de L'Univers peu avant l'heure de la fermeture. Et comment accepter — ou calmer — un tel aveu ? Que faire d'un principe et d'un fatum séparant l'humanité en une série d'inconciliables avec d'un côté, certains qui se vautreraient dans le plaisir et de l'autre des gens qui ne connaîtraient pas l'amour ?

Helga refusait toute approche psychologique et même toute idée de psychologie. (« Freud s'est toujours pris pour le Darwin de son temps », dirait-elle.) Convaincue que de nombreuses personnes souhaitaient affranchir le Viking de son esclavage, Helga rendait son oracle : « C'est un allumeur. Il est superbe et il le sait. »

Mais venons-en donc au fait : prenant acte des frustrations qui s'étaient manifestées autour du cercle fondateur des Verseaux, Helga décida d'échafauder des plans diaboliques afin de faire prendre l'habitude aux nouveaux membres de la « petite bande » de dormir à tour de rôle dans le « lit communautaire ». Personne ne serait tenu à l'écart de cette machination. Moi, pas davantage.

Elle avait invoqué le concept de « dévouement corporel » que nous avons brièvement mentionné ; étrange concept qui réduisait un peu la sexualité à un système autonome régi par ses propres lois et auquel on ajoutait la notion caritative et morale d'un service à rendre à autrui au-delà — ou en deçà — de toute approche relationnelle. Remarquez, pour quelqu'un qui se croyait, comme moi, sexuellement incompétent, on ne pouvait qu'être séduit par une philosophie permettant d'échapper à la tyrannie des rôles sexuels. Car il paraît — tous les sondages sont formels — que les Françaises aiment les hommes (exclusivement) musclés. Imaginez mes pauvres chances !

Et nous touchons là un point capital de ce livre : l'idée de beauté, qu'Helga trouvait, à juste titre, insolente. La Villa des Verseaux serait même le siège d'un séminaire sur ce sujet peu après mon installation. (Vous êtes priés de n'y voir aucun lien de cause à effet.)

Oh, certes il était hors de question de nier l'existence de cette chose qu'on taxe abusivement du nom ridicule de « beauté » ; mais il s'agissait de comprendre les variations qu'on lui fait subir. Pourquoi — je vous demande — cessait-on d'être beau avec une taille diminuée ou augmentée de seulement quelques petits centimètres par rapport à la moyenne ? En quoi quelques kilos de plus ou de moins — par rapport à quelle moyenne ? — pouvaient-ils déterminer un idéal de beauté ? La reconnaissance de la beauté semble, après tout, liée à des chiffres si infimes, si ridicules ; par ailleurs cette reconnaissance qui est donc, lorsqu'on est jeune, un idéal, n'est plus, lorsqu'on a dépassé un certain âge, que la reconnaissance de cet idéal.

Gros plan : nonchalamment étendu dans un rocking-chair en rotin, Pierre, qui était resté silencieux pendant une bonne partie du séminaire, avait trouvé une formule choc : « La sexualité, c'est un système complètement féodal. » Car de beauté en laideur, on en était arrivé là. Helga approuvait cette trouvaille. Oui, l'amour, le sexe et les lois qui les régissent (telles que beauté, âge, rang social) étaient « des machines infernales de féodalité », des instruments d'exclusion. Notre humanisme avait du mal à l'admettre. Mais Helga ne l'admettait pas et trouvait naïfs ses contemporains. Rien ne lui était plus insupportable que cette expression de « libération sexuelle » dans la mesure où elle substituait un nouveau système tyrannique à l'ancien. « Le positif de cette nouvelle domination » lui paraissait plus terrible que le précédent puisque, soudain, tous les don Juans naturels étaient sacrés rois de la Jungle. « Tu comprends, disait-elle à Pierre, le modèle de ce système c'est Jane et Tarzan. » Qu'étaient ces corps-machines sans affection ? Car sur le marché de l'amour on trouve toujours plus d'invendables que d'objets de valeur ; or ce trafic ne connaît aucun rabais. Le régime des forts d'une machinerie aussi viciée impliquait un corps dynamique, léger, finement musclé. Et dans ces conditions Helga et moi nous retrouvions propulsés au milieu des faibles.

57

Donc, un soir, Helga me fait comprendre que je suis en « service volontaire ». Mais, avant de passer aux choses sérieuses, je suis convié à un dîner avec Marc (qui ne cesse de me faire des sourires en coin), Pierre, et puis un photographe américain célèbre qui ne songera même pas à nous photographier ; enfin le professeur Cambremer (que nous surnommerons « Con-cambre ») qui passe son temps (et sa carrière) à dire du mal de ses confrères (pour dire en fait tout le bien qu'il pense de lui-même et d'une œuvre que personne n'a encore lue).

La sotte introduction de Cambremer au salon des Verseaux est une idée de Pierre (qui se morfondra durant tout le repas). Déjà Cambremer était arrivé un peu ivre à la Villa en s'extasiant sur la « beauté » des plantes, mettant ses doigts crochus sur les feuilles timides d'un ficus, faisant fuir Vanouchka qu'il avait soulevée de son fauteuil afin de s'y asseoir (à quoi l'on reconnaît immédiatement les ennemis des chats) puis, à peine assis, avait solennellement déclaré que « les romans contemporains manquent tragiquement d'audace érotique et d'authentique obscénité » ; que, d'autre part, les professeurs (sauf lui bien sûr et Helga) étouffaient la vraie culture, sans qu'il soit capable de dire laquelle et Helga avait dû interrompre son début de soliloque par cette simple remarque : « Tu sais, il y a de bons profs et de mauvais profs, de bons écrivains et de mauvais écrivains. Je ne crois pas qu'il faille chercher autre chose.

— Oh, évidemment », rétorquait Cambremer, qui venait juste de réclamer du whisky avec le culot des pique-assiette qui n'oublient pas de vider les buffets avant de quitter la fête où on les a conviés par erreur.

Cambremer était vraiment intarissable. Et bientôt il raconterait avec délectation comment, en Amérique, il avait dû commenter, devant un parterre de « jeunes beautés athlétiques » — mais sous la surveillance de caméras vidéo — l'importance sociologique du caleçon dans le développement des idées modernes ; puis, retraversant l'Atlantique, il reprenait son sérieux et confiait envisager, « pour le prochain semestre », un séminaire sur la naissance des braguettes — sujet dont il savait, à l'avance, qu'il serait « controversé ». Il avait en tête toute une panoplie de textes sur l'histoire des vêtements militaires du XVIIIe siècle. Tout, bien entendu, « départait du XVIIIe siècle, de ce siècle admirable » (accent exagéré sur la dernière syllabe). Pour grotesque ou originale qu'elle paraisse, l'intelligence de Cambremer n'était point une discipline ou une exigence mais une mécanique servie par un réseau d'alliances efficaces à l'université et dans la presse et jusque dans certains couloirs ministériels. Question : comment Helga pouvait-elle accepter de dîner avec des gens qu'elle n'aimait pas ? Réponse : parce que — et ce n'est pas une critique — l'animal sociable et mondain serait en elle une main complice avec l'homme des bois qu'elle aurait tant voulu être. Les ambassadeurs en mondanités douteuses qui débarquaient parfois à la Villa apportaient à Helga des extraits de ce parfum étrange de « la vie » où ce que l'on respire ne cesse d'apparaître, de disparaître, de se transformer et parfois de faire peur tant ses relents nous semblent fétides.

Parenthèse : souvent, en présence de tels bouffons, Helga s'abriterait derrière un solide mur de mutisme, selon le principe que le silence est l'arme des forts. Même lorsqu'elle serait confrontée à une colonie de médecins agressifs et faussement attentionnés, elle garderait une attitude distance faite de prudence et de silence. Car elle savait que les gens qui ne parlent qu'à raison du pouvoir qu'ils possèdent veulent qu'on les approuve constamment et qu'un bref « oui » vienne rythmer leur monologue. Les en priver revient, de fait, à les insulter. Et Helga aimait bien cette forme douce du mépris. Perdre son temps dans d'inutiles querelles avec des gens inutiles : tout cela lui semblait dérisoire.

Conséquence : le ridicule des conversations obligées et stériles lui ferait préférer définitivement les livres aux gens et le monde de la lecture à celui de la parole.

Lorsque Cambremer serait (enfin) parti en compagnie du photographe, d'autres initiatives pourraient (enfin) avoir lieu et la glace serait à nouveau rompue. Déjà la lumière n'était plus la même. Les reflets jaunes d'une bougie qui n'en finissait pas de baver dans sa coupelle de céramique jouaient maladroitement sur la grande table avec les déchets du repas. Marc pestait contre Cambremer (« Il est épouvantable ») mais Helga était déjà ailleurs (« De toute façon il est parti ; n'y pense plus »).

J'allumai un abat-jour de fleurs séchées et de papillons vernis qui bronzaient au soleil d'une ampoule de 100 watts. Les pigmentations des papillons et les couleurs automnales des fleurs semblaient bruire et palpiter comme sous l'action d'une formule éthérée. Helga se balançait dans le rocking-chair. Marc avait mis un disque de Berg et les syncopes nerveuses de cette musique allaient mourir sur la paroi de liège contre laquelle je m'étais adossé, puis rebondissaient en plein milieu du divan communautaire.

Le visage d'Helga s'enfonce dans des volutes de fumée

60

épaisse qui épousent les contours de l'arbre de vie indien du dessus-de-lit ; j'écoute sa respiration haletante ; la chaleur de son corps paraît faire une boule au creux du lit. Marc est allé tirer les rideaux de laine blanche le long de la verrière. Pierre disparaît en coulisses.

Une odeur de haschich et de carton brûlé monte des lèvres de Marc, puis de celles d'Helga, puis des miennes. Il est grand temps de passer à la casserole. Pourtant je n'avais jamais cru pouvoir faire de mon corps un ragoût mangeable.

Depuis que nous nous connaissons Helga a sûrement apprécié le fait que je sois libre en affection et disponible en amour. Avais-je maintenant une valeur marchande ? C'est peu probable. J'étais encore plus squelettique que je ne le suis aujourd'hui. Mais j'attirais les couples. Quelque chose en moi fonctionnait comme un miroir.

Si rétif que soit aux approches en amitié un couple ordinaire, persuadé au fond que toute personne exté-rieure constitue une menace pour l'harmonie du chiffre « 2 » — rétif au point de bientôt développer la paranoïa naturelle du couple ; rétif, enfin, parce que l'un des membres du couple va se croire (à tort ou à raison) moins désiré que l'autre par l'étranger qui prétend se greffer sur ce double support, comme une plante vénéneuse sur un arbre (apparemment) sain —, le duo improbable de Marc et d'Helga s'engageait donc à faire l'expérience d'un trio. Et Helga avait préparé le terrain depuis déjà quelque temps en tenant de longs discours. Dissocier les actes de la sexualité de tout lien affectif institutionnel était devenu chez elle une urgence réalisable. (Il suffit pour cela d'un cobaye.) Marc s'était mis de la partie, se croyant drôle : « Tu sais ce n'est pas sain de ne pas baiser !

61

— Quoi ?

— De ne pas baiser », avait-il répété.

La seule idée de santé liée à celle de sexualité ne pouvant en principe convier qu'à exclure une trop grande fréquence de rapports sexuels de circonstance, je ne savais pas si je devais prendre la petite mesquinerie de Marc au sérieux. J'avais même envie de dire quelque chose du genre : « De toute façon je ne pourrais faire l'amour qu'avec quelqu'un que j'aime vraiment, même si ça paraît bête. » Mais ça paraissait trop bête, justement. Et Helga m'avait ri au nez, croyant détecter en moi des hésitations : « Jamais je ne conseillerai à quelqu'un de faire l'amour avec une personne qu'il détesterait ! Marc et moi on se connaît depuis huit ans, on s'aime bien et pourtant on n'arrive plus à faire l'amour ensemble. C'est un paradoxe. Les seules fois où l'on se retrouve dans un même lit c'est toujours avec quelqu'un d'autre. C'est comme ça. »

Je crus percevoir une certaine gêne sur le visage de Marc qui, bientôt, se mettrait à bâiller puis, s'affalant sur le divan comme sous l'effet d'une très grande fatigue, il somnolerait afin d'être absent à la scène de séduction qui se déroulait sous ses yeux.

Helga s'était levée pour éteindre un abat-jour posé sur un guéridon d'osier. Un grand feu continuait de brûler dans la cheminée, nourri de planchettes en provenance d'un chantier de démolition ainsi que de fleurs séchées. Maintenant Helga revenait vers le divan en tenant à la main un petit livre à couverture grise où s'agitait, comme une flamme bleue, la silhouette d'une fillette.

L'idée d'amitié sensuelle faisait son chemin. Jusqu'a-lors j'avais pensé — comme une certitude qu'on ne discute pas — que la sexualité n'engageait pas qu'elle-même mais le rapport qu'on a aux autres ; qu'elle ne révélait rien d'important mais servait à exprimer une situation de désir ; qu'elle n'était possible physiquement qu'au prix de l'existence de ce désir. Vous voyez : j'avais beaucoup lu, sans avoir peut-être beaucoup d'expérience qui serait venu confirmer mes lectures. Mais avec le discours d'Helga sur « le plaisir de l'autre », avec cette tendresse communautaire dont la Villa des Verseaux était le siège, Helga me forçait à réviser mon jugement.

Et maintenant Helga souriait, comme gagnée par la certitude que le jouet qu'on lui avait promis depuis longtemps était enfin disponible. Il était là, prêt à être saisi et consommé. Ce jouet, c'était moi. (Vous ne savez pas le plaisir que l'on peut éprouver à être un jouet entre les mains des autres.) Le sentiment d'être entre soi, le plaisir tribal d'un petit groupe d'amis qu'une communauté d'esprit, sinon de cœur, rassemble, l'effusion vague et douce des intimes qui se suffisent de leur présence mutuelle et ne souhaitent pas voir le groupe s'étendre davantage : toutes ces impressions refluaient dans le salon, parmi les ombres déportées des flammes de la cheminée, au milieu de l'inquiétude que j'avais cru lire sur le visage d'Helga (pressée d'en venir au fait, d'abréger la courtoisie et tout discours de présence) et pendant que je me demandais si j'allais être à la hauteur de ce qui m'était demandé. Mais puisqu'elle avait établi que l'amitié n'était pas contradictoire avec certaines formes d'amour physique, j'étais contraint au minimum de coquetterie. Cependant, avant de m'exécuter, je décidai de paraître le plus détaché, le plus indifférent possible. J'aurais l'air d'hésiter, ce qui ferait « naturel ». Car les hésitations font partie du jeu du désir et de cette « cour » qui fait pencher le désir du côté du plaisir.

« On devrait vivre nus », dit Helga alors que nous avions commencé à nous déshabiller devant la cheminée. Roulés en boule et privés de la raideur qu'ils avaient sur nous, nos vêtements n'étaient plus qu'un tas de chiffons informe, marionnettes inanimées. Helga trouvait insupportable l'idée de vêtements prise au sérieux. (Et puis aucun vêtement n'était à sa taille ; une robe légèrement froncée ou moulée lui faisait une taille de phoque. Elle n'aimait que les tissus amples — toile de parachute, coton indien — qui évitaient à son corps la pression ou la résistance d'une matière fibreuse.)

En plein jour nos trois corps eussent été absurdes, placés les uns à côté des autres. Mais à la lumière braisée du feu et dans le jeu d'ombres chinoises qu'ils déployaient gauchement, leur contraste devenait tolérable, une surface osseuse se mêlant à une masse de graisse, un torse musclé et poilu servant de transition et de pont entre ces deux extrêmes, entre Helga et moi.

Vidé de ses coussins, le divan n'était donc qu'une vaste couette et le salon, une pièce quasi aveugle ; nous étions de bien étranges meubles mouvants. Helga s'était glissée très vite au creux du lit et tout de suite, tout de suite, (d'instinct ?) j'avais aimé la chaleur sourde que son corps imprimait aux draps.

Nous voici au cœur des préliminaires techniques : Marc se mit à me caresser pendant que j'étreignais Helga qui s'était redressée pour m'embrasser. Sa langue, à ma grande surprise, restait immobile dans ma bouche. J'avais beau chercher à faire tourner cette langue contre la mienne, elle restait obstinément dure, placide, aussi râpeuse que celle de Vanouchka, presque minérale. Embrasser est vraiment une chose étrange. Le goût d'un baiser est une encyclopédie d'émotions. La langue d'Helga, comme un radiateur que l'on vient d'allumer, se mettait à chauffer progressivement. Ses seins ballottaient au-dessus de moi ; les mains de Marc passaient alternativement sur les jambes d'Helga et sur les miennes, induisant à leur passage une nuée d'ondes instables.

Avec son sexe courbé qui paraissait implorer et inviter un geste de soulagement — donc, de jouissance — mais à l'idée duquel il affectait une certaine indifférence, Marc produisait massivement une impression de virilité impérieuse, mais domestiquée, dont on aurait aisément retrouvé les principes de base dans les commandements de notre doctrine sensualiste (« Ne te branle pas ! », « Ne jouis pas maintenant ! »). Et pour assurer que l'éjaculation masculine représentait, en comparaison d'une jouissance féminine, une immense perte de plaisir, Helga ne cessait de militer contre toute tentative de masturbation intempestive ou de coït trop rapide. « L'idéal, me chuchotait-elle tout en me caressant, pendant que Marc transpirait contre moi, c'est d'arriver à jouir en se touchant à peine le sexe afin de faire durer le plaisir. » Ses mains passées sous le ventre (déjà bien dodu) de Marc, qui continuait de la lécher partout, Helga s'était mise à geindre puis à glousser, sa respiration enflait avec celle de Marc, plus chaude, plus bruyante, plus odorante que je ne le soupçonnais. Oh j'avais certes déjà vu le corps nu d'Helga, entr'aperçu la moitié de celui de Marc ; nous avions été assis les uns près des autres — à portée de respiration, pour ainsi dire. Mais communiquer avec l'odeur véridique de quelqu'un est une autre chose ; on

65

croirait presque saisir au vol l'essence d'une intimité —
sans jamais se douter que l'intimité, cette souveraineté
interne au corps, ne se partage pas. Et dans cette marge
étroite où l'être des hommes souvent s'est étonné de se
savoir unique, la marque absolue de la singularité n'est-
elle pas le fait troublant des odeurs ? Peut-on prétendre
partager une odeur ? Comment ne pas voir que chaque
odeur signale ce qui dans un corps veut s'éloigner d'un
autre corps ? Et maintenant je passe aux aveux : l'odeur
de Marc n'était pas convaincante.

Son sexe (décidément envahissant) perlait doucement à
l'extrémité et Marc, qui pesait avec insistance contre mes
flancs, semblait gagné par un éparpillement nerveux et
diffus, son arc de plaisir tendu sur une attente.

Car j'attendais. Et je regardais, ne sachant pas
comment ni quand prendre part aux jeux d'un cercle dont
je ne voulais à aucun prix être exclu. Je restais comme en
retrait des caresses qui traversaient, après avoir couru le
long de mon échine, mes côtes, mes fesses, mes bras ; je
réagissais à peine aux mouvements de lèvres qui palpaient
ma peau avec des bruits de succion pendant qu'une
douleur aiguë (semblable à une envie d'uriner trop
longtemps retenue) s'accumulait à la base de mon sexe,
me faisant croire que sa vraie racine était en fait située
beaucoup plus haut, du côté de la moelle épinière. Car,
après tout, une malformation de plus ne m'eût pas surpris
dans mon corps tiraillé.

Une lumière cireuse contournait les plantations et
arrivait par nappes voilées, vacillant avec la flamme légère
d'une bougie, évitant des ombres de satin avant de fondre
dans le ballet chinois que nos trois corps orchestraient
sur le mur.

Quand Marc s'était levé pour remettre une bûche dans la cheminée, l'ombre oblongue de son corps s'était fixée au sol et ne semblait plus pouvoir s'en détacher. En se retournant, il avait vrillé la partie haute de son buste et exposé aux reflets du feu pendant quelques secondes les boucles épaisses de poils bruns qui s'étaient mis à frémir, donnant l'illusion que la chair de poule était en train d'inscrire ses millions d'aiguilles et créant aussitôt le désir d'une caresse immédiate qui les supprimerait. Helga veillait au grain. Elle était allongée sur le côté et comme ces navires fantômes qu'on voyait autrefois fendre un halo vaporeux et humide au milieu d'une mer encalminée, les lignes adipeuses, lunaires et (encore) rebondies de sa peau découpaient l'atmosphère tropicale de la pièce. Helga effleurait à peine Marc avec sa main boudinée, moite, tremblante, et qui, refusant de se fixer sur l'épiderme des jambes, remontait en toute hâte en direction des hanches. Puis d'un geste rapide, elle pinça Marc à la fesse et l'attira sur le lit.

Convaincue que le désir s'accroît à mesure qu'on sait un peu le frustrer, Helga me poussait littéralement dans les bras de Marc pour tester ma réaction. Mais, comme je l'ai laissé entendre, j'étais un débutant. Que faire, que faire ?

Helga me donnait un ordre : « Caresse Marc ! Allez ! Caresse-le, il ne demande que ça, ce gros lard ! »

Je caressai donc Marc. Le contact de ses jambes poilues sur les miennes était étrange. Ma main remontait sur une peau couverte de toisons serrées et noires pareilles aux chaumes rêches des blés, à l'automne, après la moisson.

Nous fûmes plongés bientôt dans un océan de moiteur. À force d'embrassades, de succions, de picotements et de pincements ininterrompus nos corps glissaient les uns sur les autres dans une matière visqueuse où n'entraient pas que de la salive et de la sueur mais également d'autres sécrétions et liquides intimes qui tourneraient en poudre âcre dès qu'ils auraient rempli leur mission lubrifiante.

Marc réclamait maintenant une fessée. Il aurait sa fessée, jusqu'à ce qu'un plaisir vitreux et indolent comme un sommeil se mette à déborder sur le haut ventre d'Helga.

« Tu les trouves comment les fesses de Marc ? me demandait Helga ?

— Comment ?

— Oui, comment ? Tu ne trouves pas qu'elles sont belles ?

— Si... »

Docilement, et comme s'il avait prévu ce jugement collectif sur la finesse de ses muscles fessiers (précision : je n'ai pas de fesses, moi, ou si peu...), Marc s'était tourné sur le côté, offrant ainsi à nos regards deux coupes de chair fendues par une raie de soies noires et démontrant une fois de plus qu'il était pareil à ces animaux de prix qu'on expose dans des vitrines climatisées ; c'est-à-dire que, vénéré pour la pureté de ses lignes, Marc jouissait d'être l'objet d'une convoitise permanente et Helga m'invitait, croyant être généreuse, à partager cette vénération, avec la certitude que les adorations, à notre époque, sont affaire non de goût personnel mais de conditionnement, et si, dans ce cas si particulier, le pouvoir d'influence provenait de l'amitié et de la complicité d'un petit groupe uni, dans tous les autres cas il faudrait s'en remettre à l'opinion générale.

Mais puisqu'il fallait faire preuve de civisme communautaire, je ne pouvais aller contre des désirs que l'on me proposait d'avoir, même si je ne les avais pas.

Nouvelle confidence d'Helga : « Il faut que tu arrêtes de croire que le désir est limité. Si la monogamie est insupportable et si la polygamie rend fou on n'est pas pour autant astreint à un tel dilemme. »

Trop certain d'être l'objet de tous les regards, Marc ne regardait ni Helga ni moi. De même qu'il parlait peu, préférant assumer hors de la conversation des tâches domestiques dont il tirait orgueil par esprit de contradiction, il n'aimait pas être privé de centres d'intérêt, bien qu'il caressât l'idée d'être aux yeux d'Helga le plus intéressant des centres d'intérêt (pauvre naïf !). Par un retour de narcissisme non maîtrisé, il venait chercher auprès d'elle une protection que celle-ci, par principe ou par nature, ne souhaitait pas offrir.

J'avoue n'avoir jamais compris Marc : il avait quelques muscles, n'était-ce pas suffisant ? Que voulait-il de plus ? Mais Helga, qui faisait les choses pour deux, se vengerait de sa suffisance musculaire en lui donnant des ordres, nourrissant ainsi une passivité qui, chez les mâles, est plus fréquente qu'on n'a coutume de le dire. Sa relation à Helga était à sens unique. À vivre de cette position d'objet requis pour ses bons et loyaux services, Marc oubliait que cela conduisait Helga à puiser dans des réserves d'énergie qui n'étaient pas inépuisables. Helga était-elle importunée par la fausseté de tels rapports ? Car un mur la séparait de Marc et ce mur était le mur d'une différence non pas véritablement sexuelle mais mentale et qui éloigne, inquiète, jette le trouble ou provoque des scènes. À cause de ce mur, Helga et Marc avaient la capacité de gérer une harmonie érotique semblable à la camaraderie amoureuse qu'auraient un frère cadet et une sœur aînée qui ont toujours couché dans le même lit et décident un beau jour de passer outre au tabou sur l'inceste. Et parce qu'elle avait choisi d'avoir avec Marc ce confort relationnel que ne procurerait pas, avec ses exigences, une vraie passion physique (qui, elle, procure autre chose), Helga renonçait apparemment à toute authentique possession amoureuse, s'autorisant ainsi à disparaître avec qui elle voulait le temps qu'elle souhaiterait et autorisant Marc à faire de même ; mais comme elle constaterait que, dans sa mollesse, il n'en ferait rien, elle ne cessait de se demander pourquoi il ne cherchait pas à trouver ailleurs qu'avec elle d'autres sources de plaisir ; car il n'arrêtait pas de lui faire part en privé de fantasmes pour la réalisation desquels un homme, lui avait-il été dit, était peut-être mieux pourvu qu'une femme.

Mais là, sur notre « communal bed », Helga s'acharnait à démontrer le contraire et il lui plaisait d'introduire Marc, de l'initier à partager le plaisir d'autres personnes, en particulier celles de même sexe que lui. Donc, lorsqu'elle lui demanderait de se mettre « en position de chien », Marc, après avoir marqué l'un de ces temps d'arrêt qui trahissent les jeunes débutants mais annoncent des reconversions de dernière minute, se mettrait en place pour exécuter l'ordre. Une main hésitante se poserait au milieu de son dos pour le cambrer davantage pendant qu'une autre main se poserait sur le mien. Mais laquelle ?

Je pourrais dire : « Il faisait noir, je n'ai rien vu », mais ce serait mentir grossièrement, car cette main douce et pesante était bien sûr celle d'Helga. Oh, cette main devait trouver ridicule de courber un dos scoliotique car, voyez-vous, ma nature décalcifiée n'était pas faite pour les contorsions de l'amour. J'ai toujours été trop raide, tel le roseau maigrichon qui frise en permanence le point de rupture et ne peut espérer servir de lieu d'accueil pour les sans-abri. C'est comme ça, et ça ne risque pas de changer : je suis condamné, en amour, à être le complément parodique de partenaires principaux. Avec Helga et Marc j'étais très clairement imbriqué dans un jeu qui dépassait toutes mes compétences.

En forçant Marc à s'offrir en pâture, Helga voulait tester à la fois son degré de soumission et voir jusqu'où j'irais pour être l'agent de cette soumission. Et qu'avions-nous en commun qui nous rapprochait l'un de l'autre était aussi l'une des interrogations d'Helga.

J'étais présentement incapable, comme Marc, de dire des mots de tendresse ; sans doute avais-je compris que ces mots ne signifient rien pour les gens avec lesquels on vit et si Marc ne devait jamais dire « Je t'aime » à Helga — pas plus que je ne le dirais moi-même — c'est parce que l'on ne prononce sincèrement ce petit mot fatidique qu'avec des inconnus.

Enfin je découvrais qu'il existe des méthodes de plaisir et qu'elles sont perfectibles, et plus nombreuses et variées qu'on ne le croit. Le jeu de l'amour requiert des performances d'athlète et réserve des surprises de funambule. Gymnastique et acrobatie : tous ces sports ont quelque chose d'effrayant pour qui n'est pas « un satyre gai, piquant, indécent et nerveux ». J'eus soudain l'impression étrange d'un dédoublement de mes organes et de mes nerfs tactiles. Au moment où je me sentirais le plus léger, quelque chose de brutal se manifesterait au niveau de mes hanches, contrecoup vibrant de mes avances vibrantes.

Nous changeons de position : les sensations demeurent. Avec ses seins plaqués sur moi, mon sexe au ras du sien, dans la moiteur de ses cuisses enrobées, je comprenais ce qu'Helga voulait me faire comprendre : l'absurdité — ou la vanité — que l'on a de croire appartenir à un sexe plutôt qu'à un autre ou que l'on est irrémédiablement privé de l'autre. C'est d'ailleurs en cela que la petite fable platonicienne n'est guère satisfaisante : le drame des deux moitiés séparées qui vont à la recherche l'une de l'autre ne tient pas debout, si l'on veut bien croire que cette partie de cache-cache se mène d'abord en soi-même. Car, voyez-vous, les seins d'Helga se greffaient sur l'empreinte des miens et ma raideur dressée — mon unique grosseur — semblait désormais lui appartenir, n'être plus tout à fait « à moi ». S'il y avait menace d'efféminement, elle était dans ces seins en train de « pousser sur mon buste », non dans la chose qui forçait en moi, exactement parallèle dans sa rigidité au gourdin de mon membre, comme le double écho d'une érection.

Finalement cette expérience à trois orchestrait, sans le dire, le déploiement du chiffre « 2 » et le désir de révélation de ce chiffre (comme pour vérifier, justement, qu'il faut être au moins trois pour savoir, qu'en amour, on ne peut être que deux).

Certes, on aurait pu penser, parce qu'il simulait (maladroitement) des rapports physiques avec un homme, que Marc retrouvait sa virilité dans un principe

72

de similitude mais, en fait, il avait besoin de cette similitude apparente (l'hypocrite !) pour mieux s'allier à son contraire, à cette altérité majeure que représentait Helga, elle dont l'obésité contrastait avec sa petite minceur sportive (et avec ma maigreur louche), comme la conversation a besoin, pour s'écouter, de silence ou l'ombre d'un peu de soleil, pour la percer. Contrairement à Marc, je sentais déjà ce qu'a de dangereux trop d'altérité ou trop de similitude. Je désirais simplement avoir les deux ensemble, ce qui chez moi n'était qu'une gourmandise de survie.

Fondre sur Helga avec Marc qui me précipitait sur ses seins, vastes globes d'opale pigmentés en leurs centres par le cerne rouge des tétons ; entendre ce froissement, ce gémissement des chairs (nous ne sommes que des animaux améliorés, c'est l'évidence), sentir brièvement le troc des fluides, faire la nuit dans la pénombre de la chambre, n'apercevoir que les reflets diffractés (et améliorés) de nos corps, non plus leurs contours délimités : était-ce cela « toute l'expérience, rien que l'expérience » dont parlait Helga, l'aventureuse ? Car si une ombre floue et grise, sans sexe apparent, pouvait remplacer nos silhouettes de plomb, alors tout un pan de notre imaginaire s'effondrait : nos corps dissemblables recouvraient un semblant d'unité et l'idée qui voulait aliéner l'érotique dans l'amitié devenait absurde.

Je me rendis compte également du caractère profond de certaines habitudes : pourquoi nous aimons la nuit pour faire nos coups bas n'est pas un hasard. Nous aimons le noir. Et là, dans ce lit encadré d'un barrage de feuilles vertes qui claquaient comme les baleines d'une ombrelle (courant d'air impromptu : on ne peut jamais être tranquille), dans ce lit surplombé d'un grand plateau d'osier cerclé de franges de raphia, dans ce lit large et mou posté en face du feu de cheminée, avec une Helga initiatrice et un Marc comédien, je savais que le rôle qu'on me faisait jouer était celui des clowns augustes qui font mine de s'étonner des évidences du monde. Mais je découvris aussi que la « prima donna assoluta » de ce concert c'était la nuit, la nuit, et rien d'autre.

Rendez-vous compte à quel point la nuit est magique : elle permet de n'avoir plus de visage ! Quel fond de teint, la nuit ! Quelle chirurgie esthétique ! Quel miracle ! Grâce à Helga et Marc je pouvais enfin prendre possession de cet abîme, pour le domestiquer et le plier aux convenances privées d'une tribu, et non aux lois ridicules du monde.

Entracte : nous n'étions pas tout à fait seuls. Au milieu des bruits étranges et peu familiers que nous faisions sur le lit, les chats vaquaient à leurs occupations. Car la nuit est aussi le temps des fauves. Prenant sans doute les branches des ficus pour des lianes, la terre des pots de fleurs pour l'humus d'une forêt tropicale où ils n'iraient jamais (Dieu merci !), Vanouchka et Aristote bondissaient ici et là. Vanouchka, véritable perverse, s'était juchée en haut du secrétaire en ronce de noyer et, les pattes repliées sous son buste de sphinx, elle lançait ses yeux orange dans notre direction. Son regard avait le pouvoir de concentration inégalé des grands voyeurs : net, arrondi, la pupille dilatée ; des yeux pareils à deux gros boutons accrochés sur un panneau d'ombre. Vanouchka semblait distinguer ce que nous ne pouvions plus voir, que nous ne voulions plus voir mais seulement sentir, avec cette patience des coyotes postés cent mètres en amont de leur victime agonisante et qui attendent son ultime soupir avant de s'inviter, sans pouvoir témoigner d'aucune invitation formelle, aux délices morbides du festin.

Oui, les chats ont ceci de magnifique qu'ils savent être importuns sans jamais vraiment importuner et ils peuvent assister toute une nuit à un spectacle exceptionnel sans jamais donner l'impression qu'ils souhaiteraient être de la fête. Leur indolence foncière, qui n'est plus à décrire (d'autres l'ont déjà fait de manière éloquente), est un tel éloge de l'économie d'énergie qu'on ne peut s'empêcher d'en admirer le principe et de concevoir de multiples jalousies (aggravées dans mon cas par des questions de pure morphologie).

Dernier acte : de même que je n'avais pas ressenti au départ de désir physique pour Helga, de même Helga n'avait-elle jamais commis l'imprudence d'espérer faire de moi un amant de passage. Marc remplissait, après tout, cette fonction, avec le statut fragile et ambigu de partenaire « régulier ». Pourtant, à l'issue de ce Grand Soir, Helga lui ferait sentir de plus en plus l'importance de notre relation qui n'était ni vraiment amoureuse, ni seulement intellectuelle, ni bêtement platonique, mais tout cela à la fois.

Et lui Marc, qu'était-il, au reste ? (décidément ma jalousie ressort sous forme trop accusatrice). Il était semblable à cette encre sympathique qui dissimule puis révèle le nom de code d'un véritable trésor (« mon trésor ») ; il avait été l'instrument du plaisir qu'avait voulu me procurer Helga, le go-between et le médiateur d'un jeu secret qui deviendrait si influent, si juste, si fondamental et si urgent qu'aucun événement ne parviendrait à le briser, un jeu si mâle et si femelle qu'il exclurait Marc (et la suite) de toutes ses subtilités. Jusque-là l'alliance de Marc et d'Helga faisait penser au compromis financier que passe un rentier avec son vieux locataire qu'il n'arrive pas à mettre à la porte — dans la stricte mesure où il réalise que ce locataire l'a tout de même aidé à vivre. Et ce n'était pas l'être exceptionnel qu'il cherchait en Helga mais une allure féminine (qui ne le satisfaisait pas complètement puisqu'on vivait encore à l'époque révoltante des « slim-girls » en tout genre) et que ne cessait de récuser Helga.

Le lendemain de cette triade érotique, je saurais, en écartant les rideaux, que Marc et moi avions encore pris du retard par rapport aux chimères ambitieuses d'Helga. Marc, parce qu'il ralentissait la conversion de ses vrais désirs et moi, parce que j'étais trop souvent indisponible aux désirs des autres et si gauche en amour ! Je finissais par me dire que j'appartenais à un monde en train de s'achever sans avoir eu le temps de deviner complètement celui qu'avait en tête Helga.

Morale du chapitre (car il y a une morale à ce chapitre, en dépit des apparences) : Helga avait philosophé pendant nos gesticulations au lit. Elle avait dit : « On vous apprend à connaître des plaisirs brefs, furtifs ; en revanche, vous attendez des femmes une jouissance longue, bruyante. Vous voulez même des cris, sans penser que vous pourriez vous aussi faire un effort... » Et Helga nous avait raconté l'histoire des gastéropodes qui restent accouplés plusieurs heures d'affilée.

Il était vrai, à titre d'exercice pratique, que, l'annulaire d'Helga qui s'était promené dans ma zone postérieure faisant écho au majeur que j'avais glissé entre ses lèvres, j'avais eu le sentiment d'accrocher un golfe de chair sensible, de tenir sous ma domination son être corporel pendant qu'elle me donnait la délicieuse sensation d'avoir pris possession du mien. « Car ma Sophie est à la fois homme et femme, quand il lui plaît », chuchote le petit Denis.

En nous demandant, comme elle l'avait fait, de faire s'accorder une envie de plaisir à un refus du plaisir immédiat, Helga nous demandait de refuser la vanité démesurée de tout érotisme et de penser autrement le désir. Loin de s'éteindre, en effet, complètement, le désir qui s'abrogeait, frustré, en se soustrayant lui-même à sa propre contemplation, pouvait s'accroître en changeant seulement de registre. Plutôt que de satisfaire un principe consumériste qui confond l'objet du désir et sa finalité, il était peut-être nécessaire de songer dès maintenant au vide qui succéderait à l'exaltation, une fois ce désir apaisé. Mais à la mesure de ce sentiment de vide ou d'absence (qui évoque la trappe que l'on rêve d'installer à proximité de son lit), rien n'interdit, hors du romantisme illusoire des « rencontres », de se constituer une mémoire vivante de tous les désirs frustrés qui, forts de cette condition, réussissent, mieux que les autres, à faire naître dans nos têtes de véritables idéaux érotiques. Et de cette morale, qui n'était pas du moralisme, surgirait peut-être, si on l'étendait au plaisir, la vérité d'une relation. Mais y a-t-il jamais eu une seule vérité en amour ? Croyez-en un menteur, qui n'a pu faire tout ce qu'il dit et qui ne dira pas tout, puisque, de toute façon, on ne le prendrait pas au sérieux et qu'en plus il n'a jamais prétendu incarner autre chose qu'une portion de cette vérité : en amour, vraiment, tout est faux.

III

L'AMPHITHÉÂTRE

De même qu'une feuille d'arbre peut être entière ou dentelée, ciliée ou vallonnée, pointue, palmée ou paripennée, la petite foule qui se pressait dans l'amphithéâtre pour suivre le cours d'Helga n'avait aucune composition arrêtée. Seul un carré de fidèles allait se blottir sur les rangs les plus élevés, qui autrefois désignaient la place des cancres. L'intitulé du cours d'Helga (tous les mardis, mercredis et vendredis après-midi) traversait à lui seul plusieurs zones du savoir de la faculté : « L'Imaginaire érotique dans la littérature et les textes européens. » Helga y traitait de tout : de l'histoire des bestiaires et des anthologies médicales, de la naissance des disciplines et des journaux victoriens.

Avec un humour qui transparaissait mieux dans l'amphithéâtre qu'à la Villa, parce qu'il était lié à l'exercice périlleux et théâtral d'une conférence qui exige, pour ne pas connaître de « flop », de solides notions de mise en scène ; avec, également, cet enthousiasme nerveux qui lui faisait dévider à une vitesse impressionnante les chapelets de phrases dont elle savait à l'avance que certaines feraient mouche, Helga abordait dans chacun de ses cours l'un des problèmes qu'elle souhaitait intégrer dans son futur livre sur les utopies. Aujourd'hui, elle allait livrer les « premiers liminaires du personnage hermaphrodite dans la pensée occidentale ».

La glose sur ce sujet, expliquait-elle, avait évolué lentement depuis l'Antiquité, passant d'une description anthropologique à une spéculation médicale, d'un discours naturel à une théorie morale : « L'étonnement devant les êtres a été remplacé à la fin du XVIᵉ siècle par le déchiffrement de leur être. » Chacune de ses phrases clés semblait d'autant plus importante qu'Helga baissait les yeux vers ses notes comme pour ne pas en affronter l'effet sur son auditoire ; on aurait dit qu'elle connaissait le coefficient d'impact d'une parole mûrement réfléchie et conçue pour un public hétéroclite. Elle acceptait toutes sortes de gens à son cours : étudiants normalement inscrits et observateurs extérieurs. On y voyait ainsi de jeunes physiciens venir faire des recherches sur l'origine de la physique ; des psychologues s'interroger sur la fiction de la psychologie ; des linguistes questionner le sens des langues pour en cerner l'érotique ; des grammairiens débusquer la nécessité de la grammaire ; enfin, des étudiants en lettres se demander quels motifs cachés pouvaient bien se glisser dans la littérature. Son cours serait sans doute le dernier refuge des véritables humanités mais aussi le champ de bataille permanent où accouraient en renfort tous ceux que le système des matières n'avait pas convaincus.

La fin d'un cours était un instant de grande convoitise. Helga voyait alors défiler devant son bureau un cortège de jeunes têtes, et cela dès l'instant où elle commençait à rassembler ses notes et sa documentation. On se disputait en effet le privilège d'un aparté, lorsqu'elle aurait attiré — « off-stage », dans le petit couloir dissimulé derrière le grand tableau — un nouvel étudiant qui viendrait morigéner en sa présence tel ou tel collègue de la faculté, tel ou tel cours, qui n'était pas son cours. Aujourd'hui on venait lui parler, comme on parle d'un malheur, du professeur Breadwinner, spécialiste mondialement connu de linguistique qui proposait une approche clinique de la langue et réclamait une réforme de nomenclature en suggérant d'employer le terme (« plus exact ») de « glossologie » (emprunté à Buffon) au lieu du vilain « linguistique ».

« Quel est le problème ? » demandait alors Helga en maîtrisant un fou rire.

La jeune étudiante explosait : « Mais il est complètement fou !

— Allons, allons, c'est peut-être un peu exagéré, non ? »

Car il était exact que le professeur Breadwinner, qui passait pour terriblement conformiste auprès des anticonformistes et pour anticonformiste auprès des conformistes, était un être étrange. Pendant l'une de ses conférences, j'avais été témoin d'une remarque qu'avait faite James, un jeune étudiant américain, et qui résumera assez le problème : « Ce qu'il y a de curieux avec Breadwinner, c'est qu'on ne fait pas de linguistique avec lui. »

Helga, soit dit en passant, serait toujours à l'abri de telles critiques de la part de ses étudiants (sont-ils ingrats !) car elle avait choisi de ne pas se confiner à l'enseignement d'un « programme » ou d'une « spécialité », termes qu'il vaut mieux préférer à celui de « discipline » car c'est là un sujet sérieux et sur lequel Helga n'avait pas l'habitude de plaisanter.

Carole, l'étudiante qui s'était plainte de Breadwinner, en venait enfin au fait : elle désirait participer au séminaire d'Helga mais regrettait de n'avoir pas de sujet à proposer pour le concours de la Dissertation nationale auquel elle devait participer. A peine avait-elle fini de livrer sa complainte que déjà Helga avait quelque chose à l'esprit pour sa jeune recrue : « Quelles sont vos connaissances en linguistique ? » Et, sans même attendre la réponse, qui au fond n'avait aucune importance, elle poursuivait : « À votre place je ferais des recherches dans cette science puis j'essaierais d'examiner sa pratique, son langage. Par exemple, je chercherais à comprendre pourquoi le professeur Breadwinner a choisi de diriger son séminaire à l'asile plutôt que dans un amphithéâtre bien insonorisé comme le nôtre, où nous sommes libres de parler de langage et de folie. » Et sur la chute ironique de cette phrase, les yeux de Carole étaient illuminés, elle disait qu'elle allait réfléchir mais le tri était déjà fait dans sa tête. Helga venait de rendre une étudiante heureuse.

Plus tard elle me confierait, non sans mélancolie, avoir l'impression « d'avoir récupéré toutes les révoltes du campus — ou à peu près. Mais ils viennent autant parce qu'ils pensent n'avoir pas à travailler que parce qu'ils ont envie d'entendre autre chose que les éléments du discours universitaire. C'est bien la seule chose que je n'ai jamais su faire. »

Quand l'université s'était agrandie, tout ce qui était encore académique dans l'institution avait pourtant été dépoussiéré, mais cette innovation n'avait guère changé les choses. Ainsi, lorsque j'avais entrepris de suivre des cours de littérature anglo-américaine, j'avais dû me plier à la discipline de questions telles que : « Microcosme et macrocosme dans *Moby Dick* » ; « Incestes et insectes dans *Ada* » ; « Meurtre et justice dans *Hamlet* » ; « Raison et sentiments dans *Les Nus et les Morts* ». Et tous ces couples, avais-je cru, n'en finiraient pas de dresser leur tyrannie et leurs légions d'oxymorons dans mon éducation. Je me sentais seul. Et je restais sur ma faim.

La gloire qu'Helga avait lentement acquise sur le campus tenait à la fois à son extrême originalité et à son refus d'introduire les « ismes » les plus récents du savoir dans le discours de la faculté. Car quelque chose en effet avait envahi l'analyse des textes, dans les différents départements, et qu'Helga avait proposé de nommer la « Swannologie », probablement pour envoyer un cygne au petit Marcel. Aussi imprécise qu'une astrologie et aussi envahissante ou abusive qu'une science parvenue au rang envié d'un culte institutionnel, la « Swannologie » occupait notre imaginaire d'étudiants, reléguant à l'arrière-plan tout ce qui aurait pu faire obstacle entre le « texte » et le « Swannologue » ; à la limite, le nom de l'auteur et sa biographie constituaient la théorie la plus obscène, la plus insultante. Cette nouvelle science promettait d'offrir des éclairages illimités sur des textes qui, jusque-là, n'avaient été soumis qu'à une lecture de dilettante et d'amateur, trop distraite pour être scientifique, trop naïve puisque pliée aux seules obligations du plaisir de la lecture, pour prétendre faire loi. La « Swannologie » était, au contraire, comme le carbone 14 de l'analyse textuelle. Grâce à ses enseignements, on pourrait enfin percer des mystères que les générations précédentes avaient pu seulement approcher à tâtons. Il n'était donc plus question dans *Les Chimères* de Nerval ou les messages chiffrés du cher Mallarmé que de présence érotique dissimulée (pour cause de censure, l'époque était barbare) ; sous les mots, sommeillaient absurdement de mystérieux animaux (les « cygnes ») qu'il convenait de réveiller ; leurs longs cous blancs seraient comme autant de brassées de phallus dans un océan d'orgasmes. Enfin la littérature devenait le palimpseste géant qu'elle aurait toujours dû être, une vaste colonie de lecteurs se voyait attribuer de libres concessions d'un minerai indéfiniment exploitable et le professeur cessait d'être la ridicule vestale des textes sacrés.

Mais nous étions en face d'un étrange paradoxe puisque la dissection de la littérature (tous boyaux dehors) se faisait avec des instruments de connaissance plus essentiels que la connaissance des textes. Et à force d'utiliser des termes tirés d'une langue que personne n'eût osé écrire ni n'eût su parler, nombre d'étudiants prirent des tics oratoires inquiétants. Car toute métalangue court le risque de me ressembler, de n'avoir que la peau sur les os et d'être autophage. Ainsi m'étais-je rendu compte, avant de découvrir le séminaire d'Helga, que je lisais moins les textes du programme que les ouvrages techniques et les compendiums d'analyse chargés de les rendre explicites.

Sur le campus, Helga avait trouvé son plus mortel ennemi en la personne d'un théoricien de psychologie, devenu célèbre après la publication d'un livre retentissant qui célébrait un mariage de raison entre l'inconscient du Capital et le capital de l'Inconscient. Les idées devenant concrètes dès que des sociétés de réflexion se constituaient, il s'en fallait parfois de peu que la bataille des idées ne dégénère en pugilat. Plusieurs événements avaient été le prétexte d'affrontements verbaux entre le professeur Julius Stromboli et Helga. Parmi ces événements il y en avait un, de nature sportive.

Stromboli — un homme de corpulence indécise, qui ne cessait, en parlant, de dire « Je veux dire » et de ramener en arrière une mèche rebelle ; qui, d'autre part, avait pris l'habitude de fumer dans ses cours et autorisait son auditoire à faire de même, dans « un souci d'atmosphère » ; qui, lorsqu'il était interrompu au milieu de ces nuages par un étudiant hostile, observait quelques minutes de silence, avant de donner une réponse aussi évasive que cinglante (« Vous ignorez une chose capitale : c'est que le vague est structuré ») comme s'il savait que ce stratagème donnerait plus de poids à sa réponse (qu'il ne développait jamais, car cela eût donné trop de relief à la question) ; qui, enfin, soucieux de maintenir une image décontractée, avait lancé le port des foulards de soie indienne qu'il enroulait, froissés, autour d'un cou velu — Stromboli, donc, avait débuté un semestre d'études par une réflexion sur « l'idée corporelle du sport ». Dans chacun de ses cours, l'idée de la nécessité sportive y était fustigée. Imaginez mon ravissement initial !

Le sport, expliquait Stromboli, « vise à aliéner la liberté fondamentale du corps de l'individu et à contrôler son énergie au prix de souffrances et de douleurs inutiles ». Par un savant raccourci, il en déduisait que la situation des athlètes était celle des prolétaires d'usine et qu'il était aisé de voir « l'homologie existant entre corps sportif et force de travail ». Mais, avant tout — et c'était l'argument « latu senso » — la compétition sportive n'avait qu'une seule finalité : « une désérotisation massive et une confiscation de la sexualité ». Lui demandait-on s'il convenait de faire une distinction entre sport individuel et sport de compétition, il balayait l'objection, après avoir passé une main énergique dans sa mèche de cheveux, et avouait : « Dès qu'on entre en compétition avec soi-même pour mesurer sa résistance à l'effort, on encourage le principe de la compétition avec les autres. Il n'y a, à mes yeux, aucune différence. »

Mais aux yeux des étudiants de Stromboli, parmi lesquels un nombre non négligeable d'anciens sportifs venus réfléchir à la signification de leur pratique d'athlète, le sport devenait une sorte de maladie honteuse et « de police idéologique » du corps. Pour que les cours soient suivis d'effets dans la réalité, quelques groupes de travail s'étaient constitués à l'initiative des meilleurs élèves de Stromboli. Géronimo, qui n'avait plus le temps d'aller à ses cours à cause de ses réunions « de bureau » participait, en revanche, aux travaux du soir d'un groupe qui s'était intitulé : « Que faire de son corps ? » Pour Géronimo, ces séances réflexives étaient un véritable laboratoire intellectuel où fermentaient, comme à l'état brut, des idées dont il espérait tirer l'essence à des fins personnelles, mais il avait aussi la ferme intention de réinjecter celle-ci plus tard dans les débats de son organisation — selon le principe que rien ne doit se perdre et qu'il faut accorder au Temps des vertus multiplicatrices et un coefficient de rentabilité.

À l'approche de l'été, une compétition internationale d'athlétisme féminin avait provoqué une grande agitation sur le campus. Géronimo avait sonné le rappel de ses troupes et appelé à soutenir l'initiative du collectif « Que faire de son corps ? » qui proposait de boycotter cet événement et d'en profiter pour « lancer une vaste réflexion publique sur le sport ». Et Stromboli avait décidé d'adapter son cours à l'événement. De grandes affiches calligraphiées en noir et rouge tapissaient les baies vitrées du Grand Bâtiment central — une bâtisse de brique rouge de style néo-renaissance que la vigne vierge recouvrait en partie au niveau des balcons du premier étage et qui présentait à certains endroits de la façade de grosses lézardes dues à un tremblement de terre ; parfois, lorsque le vent soufflait entre les feuilles de la vigne vierge qui venaient frémir timidement dans l'encadrement des fenêtres, on avait l'impression que la nature manifestait le désir de reprendre ses droits sur le terrain infertile de l'université.

C'est dans le Grand Amphithéâtre, que tout le monde appelait le « Forum » et qui communiquait au niveau de la scène avec un amphithéâtre plus petit (et si l'on basculait la cloison les séparant on apercevait mieux la forme géométrique de cet espace — deux triangles-sphères d'un sablier géant — puis le goulot étranglé de la scène), c'est dans cet amphithéâtre donc qu'avaient lieu toutes les déclarations de guerre des assemblées générales. Épanchements de style, les murs de l'amphithéâtre dessinaient sur les côtés un escalier de quatre gradins d'acajou ouverts sur le ciel comme, au théâtre, on plante à l'arrière de la scène un vaste cyclorama bleu agrémenté de nuages. Dans ce lieu magique, que Stromboli utilisait pour ses cours, un plan de bataille était progressivement dévoilé : « Avec cette compétition, disait Stromboli, la preuve est faite que le sport tend à " décorporéiser " les femmes de leur être féminin puisqu'on les soumet à une machine virile et à ses critères. » La majorité des étudiants de Stromboli (sauf quelques trublions dans mon genre) prenait en note dans un climat d'approbation religieuse (Silence ! Silence !) tous les éléments d'une critique du sport « qui unifie toutes les différences de sport pour mieux les ignorer et les museler ». Stromboli fermerait ensuite les rideaux noirs après avoir palpé les boutons d'une petite console dont il détenait la clé. De grandes masses de tissu plastifié iraient se glisser furtivement contre les gradins de bois des deux murs latéraux, obturant complètement le ciel. Dissimulé derrière le tableau-guillotine, un écran sortirait de sa cache. Une ultime manipulation ferait s'imprimer sur la toile blanche les diapositives de certaines athlètes. La démonstration professorale serait plus aisée. Avant leur arrivée dans le circuit sportif, les corps de ces athlètes étaient presque fluets, illustrant chacun une version possible d'une féminité « acceptable ». Mais depuis qu'elles avaient subi un surentraînement, leurs muscles s'étaient durcis et s'étaient développés. « Regardez, disait Stromboli, elles ont l'air d'amazones, on dirait des femmes-hommes ou des hommes-femmes, on ne sait plus. Procédons, si vous le voulez bien, à une analyse objective du corps sportif tel qu'il apparaît sous vos yeux. Les pommettes sont trop saillantes, les muscles fessiers sont quasiment hypertrophiés, le regard est vide. Il faut en déduire, je crois, que l'idiome corporel du sport de compétition c'est de proposer un asservissement contre nature de l'individu et un détournement scandaleux de la fonction érotique et sexuelle de l'individu. Ne me dites pas que ces athlètes ont l'air sexy ! À ce niveau le secret de la compétition c'est de la zoologie. L'esprit de coq y règne en maître. »

Sur cette dernière formule, Stromboli faisait sourire les derniers récalcitrants de son auditoire au moment précis où moi, je décidai d'entrer dans la résistance clandestine. Car comment aurais-je pu approuver un tel éloge implicite de la minceur ?

Personnalités rivales et ennemies, Stromboli et Helga allaient se livrer, sur ce terrain brûlant, à une guerre totale. Stromboli ayant annoncé la couleur des hostilités dans son cours, Helga avait choisi de répondre dans le sien en provoquant une discussion sur le même thème. Loin de voir une oppression dans l'apparition de ce « sport hermaphrodite », pour reprendre l'un des noms de baptême de Stromboli, Helga trouvait l'agitation faite autour de cette affaire beaucoup trop théorique. « Pourquoi ne demande-t-on pas leur avis aux personnes concernées ? demandait-elle. Les femmes n'auraient donc pas le droit de rejeter certains concepts de féminité qui n'ont pas été conçus par elles ? Cette menace de boycott me paraît scandaleuse. » Et de même que la pensée de Stromboli était retraduite aussitôt en actions concrètes, de même la réponse d'Helga donnait lieu à une intense activité chez ses disciples fiévreux. Ma double position d'étudiant-espion et traître chez Stromboli et de fidèle allié de ma future Dulcinée me permit de fournir de nombreuses munitions à la contre-offensive. Des tracts de soutien aux athlètes incriminées furent confectionnés. Des photos attestèrent de la splendeur arrondie de ces dames sportives venues d'Orient. Et comment ne pas défendre les silhouettes énergiques de ces femmes aux noms d'oiseaux contre la brutalité totalitaire de Stromboli ? Car, Irina Press, Tamara Press, Tatiana Vlachkine et Yolanda Popov donnaient envie — je vous assure — de se façonner (au plus vite) un corps sportif.

Quant à critiquer ces braves petites femmes en invoquant « un troisième sexe sportif », Helga trouvait qu'il y avait là un pas théorique qu'il convenait de ne pas franchir. Croisant un jour son ennemi déclaré, Helga l'avait interpellé : « Alors il paraît qu'on n'aime pas les hermaphrodites musclés ? Qu'est-ce que cela signifie ? » Gêné (mais pas aux entournures), Stromboli, qui reconnaissait à son interlocutrice le droit au doute, suggérait une entente à l'amiable : « Enfin, madame — entre nous — vous ne trouvez pas que ces créatures sentent la déviation idéologique ? Je sais bien que ce n'est pas de leur faute. Mais notre rôle n'est-il pas de dissuader nos contemporains de se laisser berner par le miroir aux alouettes de la compétition sportive ? Moi, je veux bien qu'on défende n'importe quoi mais pas ça ! Il y a des limites. A-t-on le droit de jouer avec son corps pour le déformer ainsi ?

— Mais absolument, rétorquait Helga, et puis vous oubliez qu'il y a des gens qui aiment les miroirs... »

Stromboli se lança dans une diatribe de plusieurs minutes (et faite de questions n'appelant aucune réponse mais parant déjà à toute critique). Helga l'observa (pendant que j'assistais à toute cette scène historique en coulisses). Julius Stromboli était vraiment l'ennemi, tout ce qu'Helga détestait, c'est-à-dire un homme si sensible aux modes du moment qu'il préférait s'en remettre à leur gouvernement que paraître sceptique, le scepticisme étant aux yeux des gens de pouvoir l'infirmité et la passivité que l'on sait. Tout au contraire d'Helga, qui voyait précisément dans le Doute la force complice d'une imagination active. Helga l'interrompit : « Vous ne me convaincrez pas. Vous savez, vous parlez à une personne déformée et je me sens à priori plus proche de ces athlètes que de ceux qui veulent leur interdire de courir. »

Puis Helga s'était éclipsée par une porte dérobée pour rejoindre une petite salle de lecture de la Bibliothèque de la faculté où patientaient quelques-uns de ses partisans, comme dans une réunion tribale des guerriers attendent l'arrivée du sachem. Il y avait là quelques collègues d'Helga, notamment la belle Anna, du département de langues orientales et quelques étudiants, dont ma trop discrète personne.

Helga était vêtue d'une ample robe de coton indien, une robe dont le tissu mauve, tramé dans de petites bandes plus claires, accentuait la disparition de sa boulimique apparition, comme si elle avait voulu retirer du regard des autres toute vue inquisitrice, tout miroir réfléchissant, tout élixir de vérité (dont l'idée fait horreur à celui qui sait que le contraire de la vérité n'est pas le mensonge puisque la vérité n'existe qu'à l'état de vague promesse jamais tenue, donc intenable. Serait-ce que l'énormité de la vérité fait peur ?). Quel que soit l'objet des réunions, la petite assemblée aurait toujours des allures d'Académie où le vrai et le faux seraient mis en concurrence. Les semaines précédentes, il avait été question des tortures en Afrique australe ; de la guerre au royaume de Siam, des emprisonnements politiques de l'autre côté de « la Porte d'Acier » ; mais aussi des techniques de bricolage individuel (« Do-it-yourself ») qui révolutionnaient la notion de confort, sans oublier le développement des Spa collectifs et des saunas (dont nous allons parler dans un instant).

Aujourd'hui, il était donc question du soutien à apporter aux athlètes orientales. Après que Anna eut parlé et que chacun eut apporté sa petite contribution à l'édifice, Helga se fit pratique : « Bon. On rédige le tract ? J'ai quelques idées. » Sortant ensuite de son sac un stylo minuscule de bakélite noire, elle se mit à griffonner quelques lignes qu'elle lirait tout de suite après à voix haute et qu'elle proposait de signer au nom du « cours d'Imaginaire érotique ». Bientôt on lirait, en lettres capitales :

COURS TATIANA ! SAUTE IRINA ! VOLE TAMARA !
VIVE LES HERMAPHRODITES ORIENTALES !

Et ces slogans si poétiques feraient le tour du campus, des conversations, des esprits, comme l'écho d'un cri lancé dans une vallée encaissée qui en réverbère l'effet à l'infini.

Il y aurait autant de rires que de sourires, d'approbations que de désapprobations. La confusion serait à son comble. On accuserait Stromboli d'être puritain et Helga d'être « spontanéiste ». Mais Helga, pour sa part, ne regretterait rien car rien ne lui semblait plus beau que la plastique richement détourée de Tamara Press ; que cette musculature de cariatide, que ces yeux agatisés sertis dans des paupières de métal ; que cette tête de strobile qui tournait sur elle-même avec une lenteur d'automate. Une rencontre entre Helga, notre comité de défense et ces athlètes célèbres fut organisée mais tout cela, dans la plus stricte intimité, car nous ne voulions pas être accusés d'être à la solde des services secrets de l'Orient. (Or,

Helga trouvait que l'esthétique corporelle devait l'emporter sur tout dilemme politique.)

La question sportive jouait son rôle de révélateur. Le sport ne prouvait-il pas qu'on pouvait agir sur son corps dans le but de le transformer ? Et que la beauté n'était que le reflet d'une condition et d'un entretien physiques, non plus le miroir d'une nature ? En ce sens, avoir défendu Tamara (cette décathlonienne au cou de taureau, comme Albertine, mon amie) revenait à revendiquer une forme de rapport élitiste au corps qui, en raison de cet élitisme circonstanciel, créait les conditions de sa rareté et de sa beauté. Autrement dit, le sport était peut-être l'un des secrets qui permettait de concrétiser de très anciens rêves.

Helga ressemblait un peu à Tamara : même visage rond posé sur un buste fort ; même sourire large. Mais cette ressemblance n'était pas une similitude. Car la musculature de Tamara contredisait à elle seule les chairs molles d'Helga où s'étaient déposées de la mélancolie et de la fatigue, du dégoût de soi ainsi que l'empoisonnement général du temps. Helga se demandait comment la peau de Tamara pouvait en apparence être imperméable aux contractions psychologiques. Le sport organisait-il une confiscation de la psychologie ? Ou bien son refoulement hors des zones physiques ?

La « bataille » du sport avait indirectement influencé les recherches du cours d'Imaginaire érotique. « Finalement, se demandait Helga, cette préoccupation étrange pour l'hermaphrodisme, qui dure depuis des siècles, ne recouvre-t-elle pas le partage entre le réel du corps et le rêve du corps, entre le corps que l'on a et celui que l'on

93

souhaiterait avoir ? Car, s'il est bien évident que personne n'a jamais voulu devenir hermaphrodite, il reste indéniable qu'une glose volumineuse s'est accumulée à travers les âges sur ce thème. L'image hermaphrodite, poursuivait Helga, traverse la question du corps, du plaisir, le mystère de " l'autre sexe ". C'est un miroir. »

Pour déchiffrer ce terrain miné, tous les étudiants volontaires du cours furent mis à contribution. Chacun devait se livrer à un dépouillage systématique des archives historiques et littéraires puisque la méthode originale d'Helga s'appuyait sur le seul support du commentaire de textes. « L'archive, expliquait-elle, est le matériau noble de l'analyse. Si l'on sait s'en saisir, elle sait faire mentir les théories. Mais l'archive est traître. Car elle contient aussi toutes les contre-vérités de son temps. C'est votre rôle d'apprendre à les débusquer. »

À l'opposé des cours professoraux de Stromboli, la méthode d'enseignement d'Helga transformait ses cours en de gigantesques jeux de société, damiers, parcours fléchés, chasses au trésor, loteries et jeux de hasard. C'est ainsi que j'appris à jouer avec une bibliothèque comme on joue à découvrir les contours d'une île inconnue. Se glisser à pas de loup dans les forêts d'imprimés tel l'espion chargé de pénétrer en douce les lignes ennemies, déplacer prudemment d'épais volumes qui laisseraient croire qu'on les avait placés là sous votre nez tout en se gaussant de la main nerveuse occupée à les tirer de l'endroit où ils étouffaient, serrés contre d'autres livres ; qui, vraiment, dès qu'on les aurait ouverts, se mettraient à revivre, ou plutôt sortiraient d'un mauvais rêve avec l'illusion qu'ils allaient rendre un service ; connaître la joie de la découverte d'un titre non répertorié au catalogue — ou jamais ouvert par une autre main que la vôtre — en se disant, avant même de l'avoir parcouru, qu'il pourrait bien constituer la preuve principale du procès que l'on était chargé d'instruire : tout cela, ce jeu de cache-cache avec la pensée écrite, ce jeu du docteur et de l'infirmière avec les livres mobilisait les énergies et les plaisirs estudiantins.

Mais j'étais loin d'imaginer que les professeurs bénéficiaient, à ce jeu fléché, d'une sorte de droit de tabouret comme autrefois, à la cour du Grand Roi, et ce droit, qui cachait un privilège, donnait lieu à certains abus. Ainsi certains livres, importants pour une recherche donnée, se retrouvaient-ils confisqués au nom d'une recherche supérieure, et des mains que nous connaissions bien laissaient parfois de vilaines traces, arrachant une page si l'ouvrage trop ancien n'était pas photocopiable, dissimulant ensuite ce vol auprès du conservateur en se plaignant du mauvais état de l'ouvrage.

Quand je revenais d'un périple en bibliothèque avec l'impression d'avoir réussi à me faufiler au sein d'un monde trop énorme pour moi, je n'avais d'autre désir que d'y retourner, je pensais aux livres que je n'avais pu obtenir et, telle une drogue douce légèrement euphorisante, la Bibliothèque dressait sa haute stature maternelle et mettait le trouble dans mon esprit : n'est-ce pas d'ailleurs la fonction des bibliothèques d'étendre la faculté de doute ? Pourquoi se fierait-on à un livre plutôt qu'à un autre ? Une bibliothèque organise, par définition, un univers de pléthore et de surplus. À chaque instant elle engloutit dans son thésaurus un nouvel ouvrage qui vient gêner les autres, ou bien les censurer.

Les moissons bibliophiles du cours d'Imaginaire érotique révélèrent assez vite leur vanité mais ne cessèrent jamais d'étendre la contagion de leurs recherches. Chaque cours apporterait, pendant un semestre, une nouvelle cargaison d'érudition. Helga nous avait conseillé de fouiller la « paralittérature » des traités d'alchimie et de tératologie, livres de médecine, mémoires divers, etc.

Et un beau jour, afin d'illustrer la « question hermaphrodite », de nombreux ouvrages mystérieux seraient cités :

— Le *Discursus duo philologico-juridici prior de cornutis, posterior de hermaphroditis eorumque jure uterque ex jure divino, canonico, civili* de Jacob Mollerus, publié en 1691 à Francfort et, dans son latin d'église, on devinait que l'auteur citait d'autres ouvrages (qu'il faudrait à tout prix essayer d'examiner) : Clément d'Alexandrie (au chapitre X du livre II de sa *Pédagogie*) mais aussi Giovanni Pontano et son *De rebus caelestibus* qui prouvait la validité d'une thèse astrologique (l'hermaphrodisme était la conjonction de Mercure et Vénus en Gémeaux).

Je ne citerai ensuite que les titres les plus indispensables.

— Le *De generatione et partu hominis* de Dominicus Terrelius, 1578, Lyon. (Et si vous mettez en doute ce livre voyez un peu ce qui se cache sous la cote B.N R 2903.)

— Le *De conceptu et generatione hominis* de Jacob Rueff, Francfort, 1587. (Ce n'est pas le même livre ; il y a seulement une petite page, que l'on peut extraire utilement : la page 41.)

— Le *De prodigiis* de Julius Obsequens, 1559. (Livre jamais consulté et introuvable.)

— Le *De monstris* de Licetus Fortunius, 1668. (Mais des livres sur les monstres il y en a tant...)

— Nombreuses choses d'Ambroise Paré : chapitre VI, livre XXV de ses œuvres, *De sexus mutatione*, 1594 (édition posthume).

Mais aussi, en français, *Histoires mémorables de certaines femmes qui sont dégénérées en hommes* livre XXV, chapitre VI, « Opera omnia » de 1582 (il était encore vivant).

— Un auteur capital, je dis bien, capital : Caspar Bauhin (ou « Bauhinus », si vous le préférez en latin) pour son superbe (il y a des illustrations) *De hermaphroditorum monstruosorumque partuum natura ex theologorum, jureconsultorum, medicorum, philosophorum, rabbinorum sententia*, 1611 ou 1600 (la date a-t-elle une importance ?). Au chapitre intitulé « De hyena » (P. 403) l'auteur montre sa prudence méthodologique ; dans un passage que je traduis pour vous il écrit : « Certains affirment que la hyène a les organes génitaux de sexe mâle et femelle ; d'autres le nient. » Bauhin cite les passages adéquats des *Métamorphoses* d'Ovide, ceux d'Aristote dans *La Génération des animaux*, Pline et son *Histoire naturelle*, et tant d'autres que l'on ne pourra pas évoquer ici.

— Le *Traité des Hermaphrodites* de Jacques Duval, Rouen, 1612. Fascinant ouvrage qui démontre à quel point la médecine est un art ô combien expérimental et fantaisiste puisque l'auteur ose écrire : « J'ai disséqué plusieurs lièvres auxquels j'ai trouvé les marques de deux sexes. » (Et alors ?)

Notre tâche eût été grandement simplifiée si Helga nous avait révélé dès le départ l'existence d'une bibliographie quasi complète établie par un « sexologue » allemand du début du siècle : *Hermaphroditismus beim Menschen* de Franz von Neugebauer (B.N. quarto Tb 7323). Dois-je préciser que je ne bénéficiai d'aucun régime de faveur ?

La littérature de voyage fut passée au crible. L'intérêt que je pris pour cette littérature enfouie dans le temps et qui me faisait rêver, avec ses îles peuplées de monstres noirs ou de cannibales, ses amazones des Caraïbes et ses Hermaphrodites de Floride, m'incitait à penser qu'une partie essentielle de l'Histoire n'est qu'une partie de plaisir. Je me souvenais peut-être d'une délicieuse petite phrase de l'*Utopia* de Thomas More : « Peut-être accuse-t-on les utopiens d'un penchant excessif au plaisir. Ils ont pour principe que la volupté qui n'engendre aucun mal est parfaitement légitime. » Au cours d'un exposé que je fis sur « le voyage, l'utopie et l'imaginaire érotique », je surpris le regard d'Helga habituellement si mystérieux, si excentré et si distant fixer son éclat métallique sur moi, alors que j'entrais dans le vif du sujet : « Jusqu'à présent on a fait l'histoire de l'utopie d'un point de vue historique ou d'un point de vue utopique. Mais si l'on prend pour point de départ que l'histoire est aussi une utopie, il faut aborder les choses différemment... » Était-ce oiseux ? Pourtant Helga m'avait encouragé d'un : « C'est très intéressant. » Et elle m'avait laissé citer, à sa manière, quelques phrases de Jean de Léry (*Histoire d'un voyage fait en la terre du Brésil*, 1557) que Montaigne avait connu. Et puis de petites choses empruntées à l'*Histoire générale des Indes* de Lopez de Gomara ou aux *Singula-*

rités de la France antarctique (qui contient, p. 332 de l'édition de 1558, l'une des plus belles et plus anciennes gravures connues sur les Amazones). Avant la fin de mon exposé, je compris que j'étais mûr pour devenir le disciple des théories paradoxales d'Helga et non pas seulement l'un de ses amis. Mais je ne savais pas que l'école du paradoxe suppose — ou entraîne — une immense solitude.

Chaque cours était pour Helga le moyen de réfuter le précédent. Sans doute était-ce là pour elle le seul moyen de séparer dans son auditoire les moutons des véritables disciples — ces miroirs grossissants et forcément imparfaits du Maître.

À des étudiants qui avaient passé des heures à fouiller les fichiers de la Bibliothèque, refusant d'échanger entre eux le maigre fruit de leurs trouvailles, comme si chacun détenait la clé d'un trésor qui serait plus tard digéré dans une Dissertation nationale, même s'il ne représentait selon toute vraisemblance qu'une note de bas de page dans le Livre général du Savoir, Helga avait tenu des propos décourageants : « Pour paraphraser un proverbe, j'ai envie de dire que rien ne sert de chercher. L'important c'est de savoir ce que l'on cherche. Plusieurs semaines de travail bibliographique ont dû vous convaincre qu'une recherche ne peut jamais être exhaustive, même pour un sujet superflu. Vous avez dû constater aussi que plus on remonte à la source d'un problème plus il devient clair que des constantes apparaissent, quasiment inchangées, et que les livres ont tendance à se répéter.

— Mais n'est-ce pas effrayant ? interrogeait Jean-Paul Frère, le jeune assistant d'Helga.

— Mais non, pourquoi ? répondait-elle. Après tout, il n'y a pas de véritable savoir immédiat. Et en plus nous sommes le plus souvent aveugles en face des textes que nous lisons. Il faut lire, sous des noms différents, plusieurs fois la même chose pour enfin la lire. »

Ponctuée ainsi de petits dialogues adorables et qu'Helga savait toujours ramener à son avantage, le cours faisait penser à la pièce sacrée d'un temple très antique où l'on venait recueillir semaine après semaine les bribes d'une vérité augurale.

Je viens de dire que chaque cours contredisait l'autre : en fait, c'est inexact. Si Helga paraissait se contredire, ce n'était que pure apparence, comme au théâtre, lorsque le décor change après un bref interlude et qu'un baisser de rideau plonge la salle dans l'obscurité totale. Drapée dans un sari de satin jaune, au point médian du proscenium, si bien que le vent propulsé par la soufflerie de la climatisation venait dessiner sur son corps des vaguelettes mordorées, voire relever de temps à autre l'une de ses mèches de cheveux sur le haut de son front, Helga, qui s'abritait derrière la protection épaisse de ses lunettes d'écaille, prenait plaisir à décevoir les gens et à les surprendre — parce qu'elle savait qu'il importe, pour plaire à un auditoire de qualité, de jouer le vieux répertoire classique en y introduisant un élément de nouveauté, et un seul, par exemple dans le jeu des acteurs ou la mise en scène et cela, afin de frapper tous les esprits avec une lecture rénovée d'un texte inchangé, éternel, donc, classique.

En contrepoint de tels principes Helga avait donc condamné la frénésie bibliographique qui avait gagné, par contagion, certains étudiants. Avec l'un de ces moulinets de cape et d'épée dont elle avait le secret pour ôter ses lunettes, Helga levait maintenant les yeux mais ne regardait dans aucune direction particulière, comme pour annoncer qu'elle avait l'intention de mettre de l'ordre dans le désordre de nos têtes, selon l'idée que trop de savoir crée l'illusion de la connaissance et qu'au lieu de nous accoutumer à la prudence de raisonnement, ce faux savoir nous entraîne à simplement devenir érudits.

Helga expliquait donc l'émergence, à la fin du XVIe siècle, en pleine Contre-Réforme, d'une image médicale de l'hermaphrodite. Les balbutiements d'une science anatomo-clinique s'étaient introduits entre les partisans d'un débat mythologique (sur le sexe des anges) et ceux d'un débat pratique (sur le vrai sexe des hommes). Le problème était aussi d'ordre juridique. Ne plus pouvoir déterminer le sexe des gens — ou leur sexualité — constituait dans un siècle religieux quelque chose de sacrilège. Étrange période vouant au bûcher toute femme qui tentait de prendre la place d'un homme et où l'ordre féodal portait aux nues le principe du double sexe du roi et la nature vierge du pouvoir.

Deux livres clés dans notre bibliographie avaient joué un rôle fort important dans les querelles d'un art médical indécis. Deux médecins s'étaient affrontés : Jacques Duval, dont nous avons brièvement parlé, et Jean Riolan qui avait répondu à son traité par un *Discours sur les hermaphrodites* publié à Rouen, en 1615, moins de deux ans après la publication du traité de Duval.

Duval, apprenions-nous, symbolisait l'époque où la médecine ne prétendait pas encore être la seule science corporelle autorisée et voisinait, de fait, dans les parages de tératologie. En essayant d'établir une nosographie complète, mythologique et humaine, Jacques Duval s'accoutumait de la présence des « monstres », postulait l'existence des hermaphrodites et, les dotant d'une liberté d'êtres monstrueux, les laissait épouser le sexe de leur choix (avec de petites restrictions). Nous prenions en note la citation : « À telles personnes, les lois... commandent choisir l'un ou l'autre sexe. Savoir est celui auquel la titillation et mouvement de nature s'incline et échauffe davantage. Après l'avoir élu, ils défendent bien expressément d'outrepasser les rites coutumiers et usages d'icelui pour fuir les abus qui pourraient être commis tant par tels corps monstrueux que sous prétexte d'iceux. Et s'ils connaissent que quelque contravention ait été commise à leurs sentences et arrêts ils punissent les délinquants voire même de mort, comme d'un crime capital. »

Helga nous rassurait en disant que cette ultime menace était de fait rarement exécutée. Maintenant, en quoi le discours de Riolan représentait une rupture avec celui de Duval, nous l'apprenions ensuite : « D'abord il nie l'existence de vrais hermaphrodites avec deux arguments : la raison et la science anatomique. Je réponds au sieur Duval, disait Riolan, qu'il est impossible qu'une personne se puisse aider des deux natures pour faire alternativement action d'homme et de femme. »

« Faire action d'homme et de femme » : Helga reprendrait le cours suivant cette formule, il est vrai, fascinante. Mais c'était pour insister sur la morale néfaste de cette science ridicule et nouvellement agissante : la médecine, qui se substituerait au libre arbitre des individus sous le prétexte de posséder une meilleure connaissance de leurs corps qu'eux-mêmes. (D'ailleurs, nous en sommes toujours là.)

Écoutez donc ce benêt de Riolan : « Il appartient au médecin de cognoistre du sexe des hermaphrodites et adjudger celuy qu'il verra leur convenir sans leur donner option d'eslire et choisir le sexe qu'ils voudront. » Helga en déduisait : « Ne voyez-vous pas que la peur de ce médecin — et cette peur spécifique, la fuite de la sexualité d'entre les mains de la médecine sera relayée par l'article « Hermaphrodite » de l'*Encyclopédie* » au XVIIIᵉ — c'est qu'un nouveau pouvoir pourrait lui échapper ? Car l'idée qu'un individu puisse trouver seul le chemin du plaisir et puisse se suffire à lui-même est un fantasme insupportable pour une société féodale où les femmes sont condamnées à engendrer sous la responsabilité de tutelle des hommes... »

Au-delà du parallèle qui existait entre ces deux médecins — car l'hermaphrodisme trouvait ses défenseurs dans le même camp que ses pourfendeurs — il était clair qu'Helga entendait réfuter toute thèse destinée à séparer (l'un de l'autre) les deux sexes. Jean-Paul Frère engagea un bref dialogue sur cette question de l'identité de genre et de sexe. Il voulut se faire plus concret : « Mais l'hermaphrodisme n'est-il pas l'ancêtre du pervers et de l'homosexuel dans la religion des préjugés ? »

C'était bien dit mais Helga n'était pas d'accord. « Oui et non, dit-elle, je me méfie cependant de toute actualisation des problèmes anciens. Il y a dans l'image hermaphrodite une image médico-légale qui, sans aucun doute, a pu servir de modèle à d'autres choses. Mais il y a aussi un fantasme qui a traversé les âges. Quant à ce qu'on appelait autrefois l'homosexualité, à une époque où le sexe était encore coupable d'infraction, il me semble que c'est un épisode relativement bref d'une plus vaste expérience. N'avons-nous pas envie, aujourd'hui, d'un érotisme plus mystérieux ? »

Voilà qui paraissait bien sage et fut bien applaudi. Nous étions en fin d'après-midi, à l'heure où le soleil perçait à l'ouest, par les hautes échappées de verre de l'amphithéâtre, et l'impression que la clarté maximale du jour était venue à la rencontre d'une maxime de vérité devenait plus évidente ; une sorte d'extase — ou de fatigue — transparaissait sur nos visages rompus à une discipline austère, comme on peut l'observer chez des religieux qui se sont livrés toute la journée à des exercices de méditation, dans la réclusion d'une retraite.

Parfois le dernier mot du cours revenait à Jean-Paul Frère, qui secondait Helga dans les travaux de recherche du cours. Ses propres études sur le travestissement et sur les académies de cour pendant le règne de Henri III lui avaient donné une réputation à laquelle parviennent difficilement certains travestis professionnels au terme d'une carrière mouvementée. On disait en effet qu'il aimait se glisser en privé dans des robes de shantung ou de soie naturelle : c'était vrai. Et il avait dans certains accoutrements publics un niveau rare d'élégance qu'il souhaitait sans doute maintenir à concurrence de la rareté érudite de ses recherches. Mais dans l'empirisme dominant de la faculté c'était, n'en doutons pas, le prix qu'il devait payer pour réconcilier théorie et pratique. Helga ne lui reprocherait jamais qu'une chose : le fait d'avoir la manie de faire appel, pour soutenir la gravité de son propos, à des jargons raréfiés (à base de grec ou d'allemand). C'était un bien maigre reproche.

Convaincu que la multiplication du thème hermaphrodite avait eu une cause religieuse (la Réforme) et une cause politique (le règne d'Elizabeth Ire en Angleterre et le règne de Henri III en France), Jean-Paul Frère citerait un sermon de Calvin contre les travestis qui commençait ainsi : « Dieu a voulu déclarer que chacun doit s'accoutrer de telle sorte que l'on puisse distinguer les hommes des femmes... », puis de nombreux textes sur les histoires de cour. Enfin, il encouragerait l'auditoire à enfourcher de nouvelles études sur l'histoire vestimentaire et la naissance des modes — domaines où Helga n'entendait strictement rien.

L'hypothèse de Jean-Paul Frère n'était pas si sotte qu'elle en avait l'air et elle annonçait des bouleversements futurs. En s'interrogeant sur ce qu'il appelait « la commotion du spectacle des mignons », dans une série d'exposés où il évoquerait longuement les rivières de perles, les tresses et les fraises de dentelle du duc de Joyeuse, Jean-Paul Frère délimitait les contours de la notion de féminité tandis que deviendrait enfin claire la confusion faite entre le port de l'habit et la vertu du moine, entre la mode et la morale, entre le puritanisme de l'âme et l'impureté du corps ; enfin l'on pourrait comprendre que ce qui semblait dérisoire maintenant avait eu autrefois force de loi coutumière.

D'autres membres de la « petite Académie » livreraient leurs réflexions sur ce thème. Tel étudiant canadien venu achever en France une thèse sur « l'ethnocide » — terme galant par lequel il entendait l'extermination des Indiens par les Blancs — parlerait des « Berdaches », ces androgynes des tribus indiennes que certains prenaient pour d'authentiques chamans ; il citerait à l'occasion les relations du père Marquette et du père Charlevoix pour donner la preuve de l'hypocrisie « carnassière » des colons européens. Avant la fin de son exposé, il invoquerait la juste lutte du Mouvement indianiste américain contre l'Impérialisme blanc. Dans les couloirs, nous nous disputerions ensuite pour prendre un abonnement à *La Gazette Apache* et acheter des badges dédiés à Mother Earth ou bien des T-shirts sur lesquels on pouvait lire : « Defend a squaw in struggle » ou bien « Berdaches of the World unite ! » Étions-nous enthousiastes !

Mais nos interventions estudiantines ne débouchaient pas toutes sur un commerce de troc à la fin du cours. Parfois elles impliquaient des démonstrations collectives. Ainsi Myriam, qui écrivait une « Histoire du baiser » et portait de larges cols empesés depuis que la mode élisabéthaine avait refait surface, prendrait l'initiative, alors qu'elle dissertait sur le culte du luxe à la fin de la Renaissance, de proposer à l'assistance de passer à la pratique de « l'entrebaisement public entre amis de même sexe », comme on le faisait sous Henri III. Hormis quelques hésitations embarrassées (j'étais assis à côté d'un jeune boutonneux sur le visage duquel éclatait, à chaque nouvel éclat de rire, une pustule), nous nous étions exécutés sans mal.

Les ennemis conformistes de notre cours virent dans cette initiative d'étudiant la main d'Helga, ce qui était faux. Mais, de toute façon, que pouvait-on contre elle ? Son renom et son charisme interdisaient les critiques frontales. Et l'université accepterait même de lui allouer des crédits pour un bal masqué organisé en l'honneur des athlètes orientales.

Tout cela, dans l'esprit du doyen du campus, agrandissait le prestige international de la faculté. De même lorsque le cours d'Imaginaire érotique inviterait Bill

Barnum, l'auteur des *Journaux vénusiens,* à donner une conférence, ou bien Anthony Spenser, l'un des plus grands poètes vivants (avec Laurent Turbotin, également invité, et qui, dans *Ma Bible,* avait inventé une langue de points de suspension).

En tout état de cause, le cours d'Imaginaire érotique était un lieu de liberté ; et si Helga sacrifiait à certains usages de la faculté, il en était d'autres qui n'avaient jamais eu droit de cité sur le campus et qui, grâce à elle, insufflaient un climat insurrectionnel dans le syllabus des études : bals travestis dans la Chapelle de l'université, séances de spiritisme, bains collectifs dans le sauna turc, messes noires, réunions d'avant-garde.

Aux yeux d'Helga la notion d'avant-garde était cependant une notion fragile. Elle n'impliquait pas ces regroupements corporatistes où l'on fréquente ses pairs et ses collègues. La « petite Académie » était, dans son esprit, une manière de confrérie, une société d'amitiés ou plutôt de sodalités (le mot a, ici, une connotation militaire) qui constituaient des réserves d'affection et d'intelligence pour l'avenir, comme les castors passent l'été à préparer l'hiver.

Souvent, à la fin du séminaire, quand Helga avait revêtu sa grande cape (qui renouait secrètement avec les traditions anciennes de la toge professorale), nous étions un petit groupe à prendre la direction de l'une des cafétérias du campus : L'Aphrodisiaque.

Si le bar de L'Univers était le bar des politiques qui donnait envie d'échafauder des plans de révolte ou de vengeance avec des professionnels du combat oratoire,

L'Aphrodisiaque, comme, du reste, le nom semble l'indiquer, était aux antipodes d'une quelconque politique (si ce n'est celle du style). Attention, nous n'entrons pas dans je ne sais quel lupanar, mais dans un lieu qui n'était ni un bar, ni un salon de thé, ni une cafétéria, ni un cabaret, mais un carrefour d'Imaginaire. L'université acceptait fréquemment de louer certains de ses bâtiments (si vastes qu'elle ne pouvait à elle seule en assurer l'entretien) à de petites entreprises privées qui promettaient de ne pas détourner totalement les lieux dont elles venaient d'acquérir l'usage. C'est Marc, que nous retrouvons, qui avait acquis la gérance de L'Aphrodisiaque, puis transformé cette structure de poutrelles d'acier et de panneaux de verre qui avait jusque-là servi d'entrepôt. Avec sa crinière de cheveux raides qui lui barraient le visage à la façon d'un bicorne de général d'Empire, cette petite musculature grossie par une voix grave et assez d'autorité naturelle pour tenir le rôle de cafetier, Marc, qui travaillait aussi à mi-temps dans les services administratifs de l'université, trouverait dans cet endroit confraternel l'occasion d'exprimer tous ses talents de bricolage et d'engineering. Il finirait même par y consacrer plus de temps qu'à inscrire de nouveaux étudiants ou à remplir ses devoirs d'amant régulier avec Helga. (Tant mieux! Au moins laisserait-il le champ libre aux Verseaux.) Mais passons maintenant à la description :

Deux figuiers empruntés en douce au département de Botanique montaient la garde à l'entrée du salon de thé et découpaient au-dessus de la porte d'entrée à double battant (en verre biseauté) un motif si peu géométrique qu'on pouvait y déceler la préfiguration d'une architecture défiant les lois communes de l'espace intérieur des cafés. Car l'ancienne serre rectangulaire avait été meublée de compartiments de bois disposés irrégulièrement avec des banquettes de style métro recouvertes d'épais coussins de kapok ; pour camoufler les tubulures et les colonnes d'acier, des amis de Marc, étudiants en beaux-arts, avaient posé des moulages de stuc qui festonnaient le salon de grands plis raides ; et si la partie centrale du plafond avait été laissée ouverte sur le ciel, de façon à créer un puits de lumière et de verdure — avec des bacs où des misères croisaient des épines de cactus —, le reste du toit de verre avait été doublé d'un faux plafond décoré de fresques mauresques et byzantines, mélangeant ainsi à dessein les styles, comme le voulait l'impératif des Verseaux. Décor allégorique et baroque : la laque purpurine des portes se reflétait dans le cuivre rouge du bar, et sur le laiton des plateaux ovales montés sur des trépieds de fonte noire.

Situé en plein cœur du campus, à proximité immédiate de la Bibliothèque et du stade, L'Aphrodisiaque détenait une position stratégique que lui enviaient des clubs concurrents et son inauguration avait précédé de peu la fin du semestre de recherches sur l'image hermaphrodite.

Pour qu'un lieu devienne légendaire il ne suffit pas que les événements ou que le cadre soient exceptionnels. Il lui faut une âme — chose que bien peu d'endroits réussissent à acquérir. Une âme, heureusement, ne se crée pas sur commande. On ne sait pas comment elle vient se greffer sur un décor inerte mais lorsqu'elle s'y attache, des golfes de bien-être entourent les visiteurs qui croient plonger dans les couches denses d'une atmosphère confortable que l'on ne saurait définir que par contraste avec toutes les autres, et jamais par elle-même. Or, comment maintenir dans l'espace logique d'un raisonnement ce qui échappe à la raison du langage ?

L'Aphrodisiaque avait donc une âme. Je ne sais si un sentiment d'élévation ou si une disposition savante s'étaient ajoutés à la sensation du temps mais le temps, assurément, s'y était déposé de différentes manières : par les matières et les couleurs employées, le tissu peau-de-pêche des murs, le caractère vénérable du matériel de bistroterie qui avait dû être déniché dans une allée secrète du Marché aux puces, avec ses vieilles théières argentées, la porcelaine dépareillée et ébréchée des tasses et des soucoupes — car une tasse à fleurs bleues pouvait très bien être posée sur une soucoupe de couleur orange — et plus généralement, ce goût pour la confusion des modes et des époques, les années vingt cohabitant ou renouant avec des allusions à l'Antiquité. Marina, qui s'occupait, avec sa sœur Marinetta, de la librairie jouxtant le salon de thé, avait eu l'idée de poser des éclairages indirects en accolant sur les murs des demi-lunes de stuc blanc, ce qui avait séduit immédiatement Marc, car tout ce qui était « indirect » cadrait absolument avec l'esprit hédoniste qui avait fait nommer ce lieu « L'Aphrodisiaque ».

Considéré légèrement de biais, le colimaçon d'un escalier traversait le plafond en dessinant les contours de la lettre epsilon et les reflets de métal employé dans sa construction déposaient des ombres noires dans l'air, si bien que, le soir, lorsque la lumière naturelle ne tombait plus de la verrière, on avait l'impression de marcher sur le vide et de faire un faux pas sur chaque marche, comme si quelqu'un avait voulu décourager ou retarder l'accès de ce « scala santa » à une petite salle ouverte sur le puits de verdure par une rambarde de bois ; de fait, Marc n'invitait que les clients sérieux, privilégiés, encombrants ou difficiles, à faire l'escalade de cette mezzanine. Raffinement qui était lui aussi matière à légende, chaque table de l'étage (les plateaux de laiton du rez-de-chaussée avaient laissé la place à de vieilles tables de bistro) était dotée d'un vieux téléphone noir que Marc pouvait faire sonner pour s'informer des désirs de la clientèle. Étudiants brillants ou dilettantes, personnalités de renom liées au campus, jeunes écrivains en mal d'atmosphère de café et qui espéraient trouver là l'extase finale d'un Travail en cours (Work in Progress) : tous croiraient avoir des places numérotées ou bien portant leur nom que leurs seules consommations eussent rémunérées. Marc avait compris que la culture, même celle d'un campus, a besoin, pour proliférer à son aise, de sentir l'effet de quelques privilèges.

Bien entendu Helga avait un siège réservé. C'était bien la moindre des choses. Moi je comptais pour du beurre aux yeux de Marc. Longtemps cet ingrat, ce traître, cet hypocrite persisterait à me mettre sur un pied d'égalité avec les consommateurs ordinaires, jusqu'au moment où Helga interviendrait en ma faveur. (Mais je n'avais rien demandé.) Helga s'entendrait aussi avec lui pour organiser les horaires d'utilisation de cette petite salle d'en haut si bien que deux rivaux ou deux ennemis ne pourraient, en principe, se retrouver attablés l'un à côté de l'autre. Ainsi Helga n'aurait-elle pas à supporter la présence de serpent de Julius Stromboli ou les contorsions de Cambremer qui, bien entendu, fréquenterait l'établissement ; les affaires sont les affaires.

Le café est peut-être le lieu de décoction des gémissements du monde où se règlent, comme en coulisses, tant d'autres commerces que celui qui les permet tous, qu'on peut raisonnablement penser qu'il vient remplir une fonction qu'aucune institution ni qu'aucune discipline n'est parvenu à remplacer. Le café est un lieu d'utopie puisqu'on vient y rêver un monde dans lequel on ne vit pas tout en maugréant contre celui dans lequel on est astreint à vivre et, si un décret, comme un dictateur, venait à proclamer sa suppression, il est certain que disparaîtrait du même coup une partie essentielle de notre rapport au monde, qui est un rapport aux autres, et donc un rapport « mondain ». Ce dernier mot mérite une parenthèse : n'est-il pas curieux que les Français l'utilisent avec effroi ou parcimonie comme s'il était superfétatoire, alors qu'il ne fait qu'exprimer une pratique d'autant plus recherchée qu'elle est moins admise, d'autant plus suspecte qu'on la soupçonne d'avoir détourné vers un profit d'élite un usage collectif ? Traversons la Manche ou l'Atlantique et cette distinction paraîtra absurde à des gens qui, traduisant « mondanité » par « social life », veulent d'abord signifier le besoin de sociabilité plutôt que de signaler les limites qu'il faudrait lui donner.

Toujours est-il que le café, véritable agora des modernes, joue ces rôles à merveille et l'on n'ose vraiment pas concevoir sa disparition autrement que comme la sanction d'un régime qui souhaiterait se passer de démocratie.

La présence de L'Aphrodisiaque sur le campus allégeait considérablement la sévérité inhérente au régime des études et permettait que fussent mieux comprises l'importance des paroles prononcées en l'air et la volubilité des conversations.

Le bavardage — qui n'est pas la palabre — est également un art et je crois les gens qui disent avoir réussi tous leurs examens en les préparant dans un café, car, voyez-vous, c'est mon cas. Les discussions que j'ai eues avec Helga dans les décors survoltés de L'Univers ou de L'Aphrodisiaque m'auront aidé à acquérir une aisance d'élocution (relative) et une technique d'argumentation que je n'avais pas au départ, étant plutôt porté à observer les autres qu'à me prendre constamment pour eux.

En ce sens, d'ailleurs, Helga « socratisait » ses étudiants. Mais comment Marc avait réussi à attirer sur des sièges de métro toutes les avant-gardes en poste sur le campus ne peut simplement s'expliquer par des effets de décoration ou par l'emplacement de rêve de L'Aphrodisiaque. Jean-Paul Frère écrirait dans *La Revue de Tokyo :* « L'Aphrodisiaque est un rêve transculturel et transséculaire. »

Car transposer les modes qui avaient eu cours à une époque révolue en les confrontant à celles qui les feraient ainsi virevolter dans le temps faisait partie du « dandysme de l'âme » de L'Aphrodisiaque, des Verseaux et de l'Académie, bref d'un monde qui croyait être à lui seul le monde.

La carte proposée par Marinetta était à la mesure de ce programme cosmopolite et sans âge : milk-shakes au melon, à la banane ou « zuppa inglese » ; carrot-cake et tartes à la cannelle, loukoums, vingt sortes de thés, alcool de figue et ouzo grec servi avec des moules pimentées et des morceaux de mozzarella (meilleur que le gouda) ; crêpes fourrées aux épinards, aux fraises et nappées de crème fraîche, strudel aux pommes, pancakes aux myrtilles, dix sortes d'olives marinées et du « browny » américain — car le chocolat, comme les épices, possède des vertus euphorisantes. Ce qu'on dégustait là-bas n'avait pas que des qualités culinaires. Une conception diététique et esthétique de la nourriture entrait dans la composition des menus. Ainsi conseillait-on, pour le repas de midi, de boire une tisane (guimauve ou bardane) plutôt qu'une bière.

Les services rendus par ce faux café étaient proportionnels à l'étendue de son prestige et de ses privilèges. Si l'on venait pour s'y restaurer légèrement, voire converser avec des amis, en connaître d'autres, fomenter des complots à l'abri des regards officiels, prendre des conseils végétaliens ou végétariens, s'informer sur « les nouvelles adresses », on venait aussi pour mettre en scène la partie la plus voyante de soi-même qui ne pouvait exister que déployée sur les planches d'un théâtre verbal et demandait à exulter hors du domaine traditionnel des représentations forcées.

J'ai parlé du décor mais je n'ai encore rien dit des costumes. Où ai-je la tête ? Les recherches vestimentaires d'une partie de la clientèle transformaient L'Aphrodisiaque en un salon d'essayage. Ni Marina ni Marinetta qui avaient popularisé à la fois le port de l'ombrelle et celui des péplums antiques à ceinture ne se seraient offusquées de savoir qu'une « petite main » qui les avait croisées aux « Pourritures célestes » (notre librairie) était partie vendre la mèche chez un grand couturier qui piraterait puis banaliserait un style qu'elles avaient d'abord inventé. Par la suite, ces recherches vestimentaires prendraient des dimensions muséographiques. Des « créatures » feraient leur apparition dans un bruissement de soie synthétique et de satinette d'Alger. Elles viendraient vêtues dans des robes de mariée détournées pour l'occasion de leur fonction mariale ou bien enfouies sous des capelines de soie noire, des robes à tournure, à calicot ou bien à ruches ; elles porteraient de longs gants de chevreau, des mitaines en résille, des épingles-diadèmes pour compléter leurs toilettes.

Les créatures arrivaient en groupe, selon le principe que les arrivées spectaculaires ne supportent pas la solitude, puis elles s'agglutinaient au bar si les banquettes autour du puits de verdure n'étaient pas libres ; on les entendait parfois pousser des petits cris rauques à l'intention de clients qu'elles n'estimaient pas être ici à leur place, et il faut dire qu'à la vue de ces compositions héréroclites, des clients pourtant habitués aux cycloramas vivants de L'Aphrodisiaque prenaient peur et levaient le camp, en se demandant si leur propre allure n'était pas trop ridicule ou conventionnelle (elle l'était). C'est en effet ainsi que ressortent les conventions, les normes et les traditions aux yeux des gens qui s'en réclament chaque fois qu'un élément extérieur vient, sans le dire, se greffer sur elles pour les révéler toutes. Et chacun croit, dès lors, n'appartenir qu'à un camp et s'invente dans l'heure des ennemis. « Son Émouvance Lola » était la créature la plus célèbre de L'Aphrodisiaque. « Raymond », sur sa carte d'identité, il avait renoncé à l'usage de son prénom d'homme et ne se faisait appeler que par une série de prénoms féminins (un par jour de la semaine) et, de même que Jacqueline, confidente d'Helga, tenait à être « Jack », Lola s'accrochait à ses nouveaux noms comme un koala se suspend à un arbre : avec nonchaance, ténacité et candeur.

Le jour où Lola fit son entrée à L'Aphrodisiaque eut

quelque chose d'historique. Quatre personnes l'escortaient (à la façon des pages entourant le jeune héritier de la couronne) et demandèrent bientôt à Marc, avec de vifs battements de paupières, s'il restait une table de libre pour « Son Émouvance Lola » :

« Vous comprenez, Son Émouvance est fatiguée, elle ne peut pas attendre... »

Marc, qui hésitait entre le fou rire et l'ébahissement, avait assez de savoir-vivre pour réprimer ces deux tentations et prendre la chose avec le sérieux que cela commandait. Immédiatement, se prenant au jeu, il fit de la place sur les banquettes, à deux mètres de la vasque de marbre qu'on pouvait entendre jusqu'à l'étage.

Avant de s'asseoir, Lola fit retirer sa gigantesque cape, ôta elle-même son Stetson à larges bords mais conserva ses lunettes d'écaille en forme de papillon puis rajusta ses longs cheveux noirs et le volumineux pectoral en gemmes de strass qu'elle arborait fièrement au-dessous d'un col de fraise amidonné (qui avait le diamètre d'une meule de moulin ; non, j'exagère). À voir sa tête épanouie, où les yeux paraissaient globuleux dans la transparence des lunettes, où les cheveux, relevés à l'arrière par des arcelets, avaient la consistance d'une perruque, où les oreilles rallongées par deux lourdes perles blanches avaient l'air de pleurer, où la peau du visage avait été nettoyée au blanc de baleine puis fardée de poudre blanche, à voir cette tête donc, on eût cru un instant voir le chef d'un pacha posé sur une plat de cérémonie que son harem, réuni pour la circonstance, eût vénéré sans bouger, comme pour un culte religieux.

Les quatre pages officiaient en qualité de gardes du corps, de conseillers rapprochés, d'ambassadeurs. Abordait-on Lola directement, elle ne répondait pas mais laissait ses amis s'enquérir des questions puis répondre à sa place, si elle souhaitait toujours ne pas répondre.

Dès que Lola prit de l'importance sur le campus, « les Incroyables », car tel était le nom de secte qu'ils s'étaient donné, furent appelés à se multiplier. Beaucoup se reconnurent dans leur magique appellation. Les « Incroyables » réinventaient l'âge du dandysme à l'époque des puciers. Une fois franchie la barrière d'intimidation que leur garde-robe déployait devant eux, un peu comme si les vêtements avaient mis entre leurs personnes et le monde un corsetage de prévenances, il était assez facile d'imaginer leur emploi du temps et le soin qu'ils mettaient à composer ces costumes. Certaines semaines, ils feraient leur apparition vêtus d'un camaïeu de tons jaunes : citron pâle, queue-de-serin, soufre ou paille foncé. Puis le vert serait de rigueur : vert crottin, vert pré, vert épinard, pin-maritime, vert if, vert saule. Réunis ensemble, les Incroyables formeraient une vaste prairie.

Ils furent à l'origine de quelques tics de langage. On ne disait plus « voler » mais « taxer » — occupation qui paraîtrait d'autant plus nécessaire que personne n'aurait les moyens de satisfaire aux exigences de la mode. Mêmes simples, les tenues vestimentaires ne supportaient pas la répétition. S'il convenait de porter un gilet sur une chemise sans cravate, il importait néanmoins de changer tout cela au moins une fois par jour. Les Incroyables n'étaient pas des étudiants négligés. On verrait donc toutes sortes de gilets : glacés noir et or, faits de longues peluches de soie aurore, damassés, tricotés, brodés avec des motifs d'oiseaux ou des scènes mythologiques (un prince-pretre à plumes) ou bien pailletés, voire bordés de fourrure.

Chacun devait avoir « une bibliothèque de chaussures » : escarpins à boucle, cothurnes ou bottines. On eût rougi de porter des chaussures au ressemelage trop récent. Les Incroyables iraient en groupe, dans les vieilles rues du centre, pour fouiner dans les nouvelles boutiques. L'une d'elles, « La lune noire », n'était qu'essences de citron, flacons de patchouli et de musc, d'ambre et de santal, ceintures de cuir tressé importées de Crète, tissus de batik peints à Ceylan, arbres de vie, chemises à col cassé, larges pantalons d'officier en toile de lin et chemises Hawaii. Pendant que l'un achetait une bouteille de shampooing au henné, l'autre glissait l'objet du délit sous sa veste. L'endroit était irrésistible. Hélas je rêverais d'être, moi aussi, incroyable, me trouvant trop ordinaire ; mais ma lâcheté m'empêcha d'avoir vraiment de l'audace.

Les Incroyables avaient de nombreuses modes à leur actif : cheveux longs que l'on nattait dans le dos et auxquels un ruban noir (le « bout de rat »), faisant rosette à la nuque, ajoutait une spirale ; toutes sortes de compléments de parures tels que agrafes, colliers de turquoise, épingles de cravate gravées d'initiales ou de sujets mythologiques, boutons de chemise orfévrés, émaux et breloques ou bien glands qui cliquetaient de chaque côté du gilet, boutons de chapeau, bagues en cornaline, cristal de roche, ivoire, calcédoine.

Les Incroyables lanceraient aussi une guerre des nerfs contre tous ceux qu'ils qualifiaient d' « Invisibles ». Mais à quoi reconnaissait-on un Invisible ?

Un Invisible abhorrait l'idée du luxe. Un Invisible cherchait à ressembler à la foule anonyme, sous le prétexte que celle-ci garantissait, dans son principe, une condition égalitaire, ce qu'aucune expérience historique n'a jusqu'ici vraiment démontré ; car à peine a-t-on rassemblé des gens qu'on voit apparaître en leur sein des personnages autoritaires. Un Invisible pouvait porter les mêmes vêtements plusieurs jours de suite, croyant que c'était là une manière de « faire peuple ». « Tomber la cravate » était l'un de ses aphorismes favoris. Un Invisible ne parlait jamais de ses plaisirs — à croire qu'il n'en avait pas. Rien ne pouvait lui plaire qui n'ait pas d'abord prouvé une quelconque utilité sociale ou morale. Voilà ce qu'était un Invisible (à peu de chose près : Géronimo).

Les plus politiques des Invisibles tenaient la mode pour une tyrannie et le dandysme pour une trivialité petite-bourgeoise — ce que, du reste, les Incroyables ne cherchaient pas à démentir. Les moins politiques des Incroyables voyaient dans tout discours et tout slogan une faute de goût et dans le refus du style une insupportable austérité. L'Aphrodisiaque devint peu à peu le quartier général des Incroyables qui trouvaient dans la gérance des Verseaux et dans la présence mythique d'Helga l'imprimatur de leurs préoccupations morales.

Mais on croisait aussi à L'Aphrodisiaque des Invisibles de bonne compagnie qui faisaient penser à ces libéraux que la seule perspective de l'humiliation enchante, à condition d'être personnellement épargnés. Lola, bien entendu, prendrait un malin plaisir à vérifier que chaque Invisible suspect était pourvu de bonnes intentions, donc assez masochiste pour supporter une agression en règle.

Du jour où elle entra à L'Aphrodisiaque, elle en devint en quelque sorte le Cerbère. Mais revenons un peu en arrière. Ce film va trop vite. À peine venait-elle donc de s'installer qu'elle eut l'occasion de faire scandale. Helga et moi prenions un verre à l'étage. Nous fûmes témoins — et victimes — de toute la scène.

Et il faut d'abord en conclure qu'une atmosphère de café se prête idéalement aux scènes dramatiques que des personnages inconnus au répertoire jouent spontanément, sans aucun régisseur derrière eux pour tenir les cordons de la pièce ; on dirait alors que l'air laisse entrer dans sa composition des matières brûlantes qui s'entrechoquent par télékinésie et qui, dès qu'elles ont atteint un échauffement suffisant, communiquent à tout le monde leur énergie et leur violence. C'est peut-être ce qui se passa.

Sous son dais de verdure, les feuilles humides du bananier lui caressant le dos comme pour l'éventer, Lola sirotait un verre de limonade que Marc lui avait servi sur un petit plateau argenté avec une soucoupe de loukoums. Soudain elle se leva, monta à l'étage puis s'arrêta devant les toilettes, à deux mètres de nous. Elle colla sur l'une et l'autre des deux portes des étiquettes adhésives qui remplaçaient le « Hommes » et « Dames » par l'unique et mystérieux « Personnes ». Ensuite elle choisit d'entrer dans les anciennes toilettes pour hommes. Presque aussitôt, Lola poussa un cri strident. Son cri, à la tessiture plus déchirante qu'une voix de supplicié, dut rebondir assez entre les poutrelles maquillées du puits de verdure pour que, quelques instants après, plusieurs personnes prises de panique se décident à hurler à leur tour : réflexe qui me fit penser à ces cortèges de pleureuses d'autrefois.

Revenue au jour incertain de la mezzanine, Lola avait des sourcils arc-boutés, véritables toits de pagode renversés au-dessus de ses yeux. Puis, après qu'elle eut replié

120

l'une sur l'autre les lèvres d'une bouche écarlate, elle souffla avec bruit, piaffa et donna enfin des coups de talon dans la moquette ; « last but not least » elle déclama son scandale, avec charisme et brio. Helga et moi, invisibles pour une fois, la regardions, interloqués et fascinés.

« Qu'est-ce que c'est que ce bordel raciste ici ? » dit Lola en s'avançant vers la rambarde pour s'adresser au rez-de-chaussée et donc à Marc qui s'était rapproché des marches. « Incroyable ! Des urinoirs ! Des urinoirs ! Je rêve ou quoi ? Il va falloir me casser ça ou alors c'est le boycott ! » annonçait-elle dans un cri de rage qui avait quelque chose d'un salut de diva ; l'une de ses mains était projetée en avant, les doigts, écartés ; et ses nerfs à vif transmettaient jusqu'aux extrémités la trépidation ou l'hystérie qu'elle ne pouvait contenir. Et comme les canards que l'on entend faire « couac » par intermittence, alors qu'ils glissent prestement sur l'eau d'un canal ou d'un étang, Lola fut secouée de petits cris spasmodiques qu'elle poussait avant d'amorcer une phrase ou au contraire pour l'achever en imprimant en elle la marque d'un soliloque.

Helga lui proposa aussitôt de s'asseoir à notre table.

« Madame je vous avais reconnue. Je suis allée à vos cours », dit Lola qui regardait dans trois directions à la fois : vers Helga, avec ce respect du courtisan pour l'autorité régnante ; vers ses acolytes à qui elle fit signe de ne pas l'attendre ; enfin vers moi, avec cet air d'auscultation hautain qui cherche le vice de fabrication sans l'avoir encore trouvé.

« Vous connaissez le type qui a monté cet endroit ? » poursuivait-elle.

J'allais bondir tous crocs dehors sur cette créature mais Helga répondit : « Mais oui ! C'est Marc. Nous vivons ensemble !

— Eh bien, vous lui direz qu'aujourd'hui les urinoirs sont un signe de chauvinisme mâle. C'est intolérable.

— Évidemment, je ne voyais pas les choses comme ça, dit Helga timidement.

— Enfin, c'est évident. D'ailleurs c'est votre cours qui m'a inspiré cette idée. Si vous voulez, une discrimination aussi dépassée ne me paraît pas justifiée. Chez eux, les gens n'ont pas de toilettes séparées selon le sexe. Il y a un seul chiottard pour toute la famille, pardonnez-moi l'expression... Avez-vous entendu parler de notre brochure ?

— Mais non ! » dit Helga.

Son Émouvance — pour qui je n'éprouvais pas vraiment de sympathie, de même que je n'en éprouve aucune pour toute personne qui s'est interposée entre moi et Helga — prit l'air surpris et un peu arrogant des sectateurs que le monde indiffère et qui oublient en permanence que le monde ignore tout de leur existence. Elle ne soupira pas vraiment mais parut désolée qu'une personne du rang d'Helga ne soit pas au fait du bréviaire des Incroyables. Elle ouvrit un sac noir à fils d'argent sur lequel était brodé un grand oiseau de perles vertes et en sortit une brochure agrafée :

« Voici *Transes culturelles,* dit Lola. Ce mois-ci nous avons réalisé un dossier sur les droits de la personne. Vous connaissez Anna Furstenberg ? Eh bien, elle a écrit un article pour nous qui explique en gros que le vrai féminisme est celui qui revendique les droits de la personne car réclamer les droits de la femme ça revient à avouer une faiblesse.

— Oh, moi, je ne me suis jamais sentie faible », dit Helga en souriant et en se tournant vers moi.

Cette fois embarrassée, Lola répliquait :

« Ce n'est pas ce que je veux dire. Mais on ne peut pas prendre la défense des femmes comme si on avait à protéger des animaux en voie de disparition. Vous savez bien que les partis politiques traitent la moitié du ciel comme s'ils avaient à prendre soin d'une société de protection des animaux !

— C'est vrai, c'est vrai, admettait Helga, ils aiment se disculper... »

Helga observait une pause. Jamais elle ne m'avait paru aussi intriguée, aussi absorbée que dans cet instant où elle cherchait ses mots pour maintenir à tout prix la communication avec Lola. J'étais aux abois.

« Voulez-vous boire avec nous ? Je vous présente Hugo qui travaille dans mon cours et vit dans notre petite communauté. Je tiens à préciser que l'Aphrodisiaque est un peu la conception de la Villa des Verseaux.

— Oh, mais en dehors des urinoirs, c'est très bien ici, répondait toujours aussi vulgairement « Son Émouvance », avant de repartir à l'attaque : « Vous savez que nous faisons campagne pour que les gens aient le droit de changer de nom ?

— Mais pourquoi donc ? demanda Helga.

— Vous n'êtes pas mariée ?

— Non.

— Mais si vous l'étiez, vous devriez porter le nom — et jusqu'au prénom — de votre mari. Vous disparaîtriez derrière son nom. Si votre mari s'appelait Guy Viaduc on vous appellerait Mme Guy Viaduc. Ça ne vous choquerait pas ?

— Je préfère ne pas imaginer, en effet, disait Helga, mais c'est un faux problème car ça ne m'arrivera pas ! »

Plus sérieuse que jamais derrière les papillons de ses lunettes, Lola s'apprêtait à examiner le problème en profondeur : « Tout ça vient du nom du père qui nous poursuit toute notre vie. Nous vivons dans une société patrilinéaire. Il est intolérable que les gens n'aient pas le droit d'avoir l'identité et le nom de leur choix.

— C'est un peu utopique, non ? hasardai-je dans ce qui fut ma seule intervention. Car Lola me transperça de derrière ses lunettes d'un regard de lame effilée qui me renvoyait à mon incompétence.

— Mais pas du tout ! D'ailleurs personne ne connaît mon vrai nom à l'université sauf peut-être aux inscriptions, et encore, ce n'est pas sûr. Et l'important c'est que tout le monde m'appelle Son Émouvance Lola. »

Instinctivement Helga avait compris que Lola et les Incroyables seraient de précieux alliés du cours d'Imaginaire érotique. Et sur cette question du nom et de l'identité, Lola se mit à nous citer mille exemples. Cette conversation serait le prélude de bien d'autres. J'avais le sentiment que Lola et Helga avaient déjà « faim » l'une de l'autre ; que Lola trouvait en Helga un réconfort théorique et moral ; et qu'Helga, pour sa part, découvrait en Lola un merveilleux outil de laboratoire et que L'Aphrodisiaque — ou ses dépendances — allait jouer un rôle de catalyseur d'énergies contradictoires mais solidaires.

L'influence de Lola fut immédiate. Dès le lendemain de l' « affaire des urinoirs », une réunion au sommet, à laquelle je fus convié, regroupa Marc, Helga et Jean-Paul Frère. On décida de faire fête à Son Émouvance. Un petit panneau de contre-plaqué fut confectionné. On y punaisa une affichette prévenant les consommateurs que l'établissement, dans sa lutte contre le sexisme, avait aboli la distinction « hommes » et « femmes » des toilettes. Marc modifia ce qui avait été autrefois des urinoirs, mais pour comprendre sa modification, encore faut-il savoir où nous allons entrer brièvement.

Au lieu de fixer au mur ces vases banals en forme de poire comme on en vit autrefois partout, Marc avait conçu une surface de verre opaque, illuminée en permanence et sur laquelle coulait un véritable rideau flottant, depuis une colonne de cuivre rouge, si bien que ce n'était plus un urinoir mais une chute d'eau. Si cet écoulement d'eau fut effectivement maintenu après modification, c'était avec une tout autre finalité. Il servirait en effet à humidifier une cascade de plantes : lierres, fougères, trèfle, mousses d'Islande, bacs de primevères et de petits nénuphars. L'autre nécessité de maintenir ce bruit d'eau était d'ordre pavlovien (inutile d'insister). On modifia aussi les deux vasques de marbre du lavabo en installant de chaque côté deux rampes d'artiste ; un flacon de parfum et un pot de poudre de talc firent leur apparition. Enfin, un panneau central encourageait toute une littérature de graffiti et de petites annonces. On était invité à inscrire ainsi « le graffiti du jour ». Lola inaugurerait le premier graffiti anglais : « Life is like a pubic hair on a toilet seat ; in the end it gets flushed down. » Inventé selon elle à Toronto quelques mois plus tôt le graffiti avait voyagé jusqu'ici comme un cadavre surréaliste transporté par une chaîne de sympathie.

Et comme il était prévisible, les graffiti furent l'objet de polémiques interminables que l'on retrouva reliées en volume à la suite de séminaires d'études. L'un d'eux, intitulé *Roman-graffiti* était précédé d'une préface de Julius Stromboli qui ferait hurler de rire Helga. Il y déclarait en effet : « Le graffiti offre une richesse de contenu exceptionnelle. La subversion est générale. Les graffiti sont de véritables romans-feuilletons. C'est l'écriture du fantasme à l'état brut. » Si l'on veut bien imaginer que la préface adressait son éloge à des graffiti qui, même amusants, n'en demeuraient pas moins subjectifs et se bornaient à répéter le même sempiternel message, du genre : « Je dépucelle en douceur », on comprendra un peu mieux la disproportion entre le dithyrambe de Stromboli et ses références.

Quiconque était incommodé par le parfum des conversations pouvait toujours trouver refuge dans l'annexe de l'Aphrodisiaque, dans cette librairie que Marina et Marinetta surveillaient à tour de rôle d'un œil de lynx. Au fond de la librairie, plusieurs sièges en cuir disposés en cercle invitaient les acheteurs éventuels à digérer leur lecture dans la position du loir, et pareille installation incitait également à la création d'associations, sectes ou tribus. Les Incroyables étaient d'ailleurs nés, comme tant d'autres, dans ce cercle de cuir.

Ainsi, avec d'une part la librairie et d'autre part le salon de thé, L'Aphrodisiaque avait pris dès le départ la dimension d'un complexe. Mais la construction d'un grand Bain turc dans l'ancienne serre accolée à l'arrière du salon de thé ajouterait une dimension qui excédait de loin la célébrité de campus que d'autres lieux cherchaient en vain à acquérir. On se presserait de partout aux portes du Bain.

Sa construction demanda des semaines de négociation avec l'administration du campus et il n'est pas douteux que la position, l'infiltration de Marc dans cette adminis-tration hâta considérablement le cours des choses. Marc tenait à faire de cet édifice une œuvre d'art. Helga, quant à elle, ferait de ce Bain l'argument le plus célèbre et le moins intime de ses théories sensualistes. Moi, je deman-dais à juger sur pièces. Car une question immédiatement physique commençait à me tenailler : qu'irais-je faire dans la galère d'un sauna ?

L'architecture serpentine, labyrinthique du Bain, où chaque pièce donnait sur plusieurs pièces à la fois, fuyait ce qui aurait pu paraître fonctionnel, pratique, utilitaire. Le Bain serait au service de ses usagers au lieu que ce soit l'inverse. Trop souvent les pièces carrées de nos apparte-ments interdisent qu'on se mette à jouer avec elles ou qu'on les surprenne. Car elles n'invitent à rien sinon à rappeler la raideur de leur existence. Le Bain serait comme un hommage à cette époque de l'Antiquité où un seul mot traduisait « art » et « technique ».

Passé la porte d'entrée à double battant, l'œil accro-chait un autel de stuc brun travaillé au poinçon puis des niches et des recoins comme on en voit sur une œuvre byzantine ; puis une fenêtre qui, à la place de la croix, transperçait ce laraire étrange pour mieux mettre en valeur les miroirs ; enfin un énorme encensoir de cuivre suspendu au plafond par de petites chaînes décorées avec des clochettes d'émail et d'où émanaient des effluves de santal ; au bout de tout cela on voyait deux petites portes de saloon en verre fumé ouvrant la perspective d'un long couloir.

Si l'on admet que les lieux dans lesquels nous vivons trahissent autant et mieux nos pensées, le fond secret de notre caractère que la moindre de nos paroles, on verra que le Bain de L'Aphrodisiaque avait quelque chose de la paillasse de céramique du chimiste où tel composé soudain révèle un autre visage.

Le labyrinthe du Bain était assez complexe, si d'aventure l'on se risquait à examiner quelqu'un, mais également assez étrange et assez surprenant pour empêcher ces recoupements hâtifs que la pensée opère d'instinct — car l'esprit est susceptible de plus de généralisations qu'on ne le souhaiterait idéalement. Sans doute toute réflexion a-t-elle besoin au départ de quelques idées simples. Je suis trop exigeant. Rien dans l'aménagement général du Bain ne pouvait cependant prévenir contre certaines associations immédiates, laissant supposer, par exemple, qu'un homme au visage anguleux et au teint jaune cachait une nature colérique.

L'objectif architectural poursuivi par Marc (en cela, bien gouverné par Helga) visait précisément à la suppression définitive — ou du moins, provisoire — de telles perceptions, selon l'idée généreuse, oui, généreuse, que ce que l'on perçoit n'est pas ce que l'on voit mais simplement une chimère inculquée, un mauvais rêve. Si, devant moi, je voyais un homme au front bas, avec un nez disproportionné, une bouche trop maigre, un menton un peu mou, des genoux se frottant l'un contre l'autre, des pieds légèrement contournés dans la démarche et des yeux saillants, enflammés, il ne fallait rien en déduire : cet homme n'avait nullement la nature

« molle » dont a parlé Giambattista Della Porta. Les ombres et la vapeur se chargeraient d'arranger tout cela.

La plus grande surprise qu'un corps offre au regard des autres tient au fait qu'il n'est nullement en accord avec la personne qui l'habite et s'il le contredit sans arrêt c'est sans doute pour nous rappeler au bon souvenir de nos tyrannies esthétiques. J'appris, auprès d'Helga et malgré elle (mon propre exemple était une bonne base de départ) qu'il n'y a pas d'échelle centrale des valeurs ; qu'il n'y a pas « la beauté » siégeant à côté de « l'intelligence » (et quoi encore ? !), voire de son contraire (corrélat romantique) ; qu'il n'y a pas non plus de vertu supérieure ni de vice inférieur — certaines vertus se sont révélées plus meurtrières et plus néfastes que tous les petits défauts du monde. Non — et le Bain représenta cette expérience — il y avait simplement des séries factorielles d'intelligence et de bêtise, de beauté et de laideur. Le pluriel ne vient jamais seul ni de lui-même. Il faut le forcer à exister à l'intérieur de soi et refuser ce qui prétend au monopole. La vérité peut-elle apparaître en dehors d'une effusion de diversité ? Certes, un tel aveu implique des efforts et complique tous nos raisonnements. Mais il n'y a pas de véritable pensée qui ne soit pas une pensée patiente, lente, et prudente. Mieux vaut une erreur mûrement réfléchie qu'une décision rapide, même si elle semble juste. Car l'intelligence qui aime la vitesse est une intelligence aveugle, maigre et bien triste. Au moins, sur ce point, la fréquentation du Bain aida à renforcer les langueurs et à fixer les impatiences. Les Incroyables vinrent se couler au sein des Invisibles. Les deux clans se frôlèrent, s'espionnèrent mais sans jamais risquer de se confondre. Un diamant à l'oreille, une chaînette dorée sur une poitrine nue, la marque ou la coupe d'un peignoir et la façon de parler étaient des indices suffisants à un limier peu chevronné pour déterminer qui était qui. Cependant l'illusion utopique d'un lieu dédié au culte et au soin du corps fonctionnait très bien. Le seul moment de gêne ou de gaucherie était donc limité aux vestiaires : un long couloir sombre courant tel une ronde autour de la Grande Salle de Repos. Bien avant l'ouverture d'un jour mixte, cet endroit spécifique du Bain serait l'occasion d'un empressement peu commun de dizaines d'ombres floues jouant entre les portes des armoires métalliques à cacher leur pudeur mais exposant sans gêne leur particule fessière ; sans doute fallait-il voir dans ces gestes imprécis de coulisse une ardeur déployée pour masquer des signes où l'on aurait pu déceler une profession, des fréquentations, une adresse, voire, une vie. On ne pouvait sous-estimer l'angoisse avec laquelle pareille mise à nu s'effectuait. Je ne compris d'ailleurs jamais autant que dans ces vestiaires à quel point la lumière est la lampe témoin de notre éducation. Car si elle ne peut enseigner à elle seule la peur ou la haine du nu, elle contribue efficacement à mettre un phare sur la méfiance qu'inspire la vue d'un corps nu, à commencer par la vue de notre corps. On supporte plus facilement la mise à nu des autres que la sienne propre. Mais je généralise, alors que je ne suis sans doute qu'un cas particulier.

Sur cette question des résistances internes que l'on oppose au nu et au cru, Helga pensait qu'il convenait justement de faire violence à ses principes. Quelques semaines après l'ouverture du Bain, elle eut l'idée d'une gigantesque réception « corporelle ». Le thème de cette célèbre « bath-party » croisait des préoccupations qui avaient été celles des discussions de la Villa. Ce fut la plus mémorable fête jamais donnée sans doute sur le périmètre de l'université. On était au milieu de l'année, à l'approche des vacances. Des invitations furent lancées un peu partout afin de faire de cette fête autre chose qu'un événement mondain ou qu'un happening cosmopolite. J'éprouve, à évoquer cette étrange cérémonie, un épouvantable sentiment nostalgique. Je ne saurais dire pourquoi. La suite l'expliquera peut-être. Advienne que pourra. Disons que le type de nostalgie que je ressens est du même ordre que lorsqu'on débouche un grand cru classé et qu'on regrette, après avoir ôté le bouchon, de devoir absorber un liquide qui a atteint son prix avec la lente concrétion du temps et dont on sait, en le buvant, que la délicatesse vénérable qu'il porte à notre goût va bientôt mourir, engloutie dans les abîmes et le cloaque du corps, là où l'oxygène est rare et où la nuit est vraiment noire. Chaque instant nostalgique, faut-il ajouter, disparaît en partie avec son évocation. Le mal est donc bien pire.

Les invitations furent dessinées par Son Émouvance Lola sur des cartes blanches en vélin épais. Encadré d'un liséré jaune, un petit texte en lettres maigres invitait à « La Fête du Corps » sous l'égide de « L'Aphrodisiaque », seule signature du carton qu'entouraient deux chérubins des deux sexes et qu'un lacet de satin rose emboutissait. Un comité de sélection présidé par Helga et Son Émouvance désigna les heureux élus de cette soirée.

Il avait plu toute la journée. La pluie faisait un bruit de cymbale dans les allées de gravier, sur la verrière de

L'Aphrodisiaque et sur les vastes ombrelles de bambou que Marc avait fait disposer en enfilade devant la porte d'entrée du Bain. Les premiers invités arrivèrent plus tôt que prévu. Les relations d'Helga se mêlèrent dans l'opacité de la bruine aux « créatures » que Son Émouvance avait conviées. « Tu verras, avait-elle dit à Helga, ça va être un cocktail inoubliable. »

Vers sept heures du soir, on vit surgir monsieur Mirage, le directeur de *La Revue de Tokyo* aux côtés de Vertige, ainsi surnommé par Lola pour sa beauté qu'une moitié du campus convoitait pendant que l'autre, trop studieuse ou affairée, l'ignorait. Car — nous l'avons dit — la beauté ne provoque aucune unanimité. Et Vertige, grand jeune homme de vingt ans aux épaules carrées, aux cheveux longs et serrés en arrière par un lacet de cuir, se rapprochait d'un pas d'amble avec cet air méchant que l'on voit chez des marins brestois qui ne veulent pas réembarquer. La cape trempée dont il était vêtu et dans laquelle le vent s'engouffrait en la faisant claquer sur ses flancs comme un petit foc qu'on n'arrive pas à hisser en haut du mât, faillit envelopper le parapluie que monsieur Mirage tentait de plier. Mirage, entraîné par son arme, fut déporté en plein milieu d'une flaque de boue. Lorsqu'on saura que cet homme influent qui était feuilletoniste dans un quotidien, signait une colonne d'humeur sous les initiales laconiques de M. M., dirigeait maintenant, conseillé par Helga, sa propre revue, ne supportant aucune contrariété, tel ces gens qui pensent que le pouvoir trouve sa définition, sa noblesse et sa dignité dans la souveraineté du caprice, menaçant verbalement quiconque osait contrarier des jugements qu'il voulait définitifs (même dépourvus de preuves définitives) ;

132

lorsqu'on aura mesuré que tout, dans ses manières, l'opposait à Vertige, alors on pourra se représenter l'instant où leurs deux regards convergèrent l'un vers l'autre, les yeux de Mirage se mettant d'instinct à flamber puis s'adoucissant dès qu'ils virent que la résistance qu'offraient ceux de Vertige démontrait une pugnacité peu commune. C'est ainsi que l'on s'explique pourquoi certaines personnes ne parviennent pas, en dépit de leur autorité ou de leur prestige, à soutenir le regard des autres. Vertige n'avait sans doute jamais baissé les yeux de sa vie. Il y a des gens comme ça.

Loin de se sentir en devoir de présenter des excuses, Vertige prit la pose de l'offensé, ce qui coupa court à toute crise d'autorité chez monsieur Mirage. Celui-ci hasarda tout au plus une réponse incertaine à une question qui n'avait pas encore été formulée, réponse qui n'était pas sans humour et que le visage relevé, la moustache soigneusement lissée de Mirage rendaient presque comique :

« Vous venez de noyer mon costume. Mais il paraît que nous n'en aurons plus l'usage tout à l'heure. Vous êtes au courant, je pense ?

— Comment ça ? demandait Vertige brutalement.

— Eh bien lisez ! dit Mirage en tendant son carton d'invitation dont la blancheur semblait, au milieu de la grisaille boueuse qui habillait encore cet homme, la seule note joyeuse.

— Il est écrit, reprit-il, que " la tenue de soirée sera laissée au vestiaire et n'est pas exigée à l'entrée. L'établissement fournira pagnes et serviettes ".

— C'est marrant. Rien de ça n'est écrit sur mon carton », dit Vertige.

Il ignorait ce que j'avais appris en fin d'après-midi : deux sortes d'invitations avaient été envoyées en fonction non de l'âge, du sexe ou de la fonction sociale des candidats mais de leur seule réputation et de leur valeur esthétique. Concrètement, les plus « beaux » des invités étaient un peu désavantagés. Rien ne leur était dit par avance sur la nature hédoniste de la soirée afin de les jeter tout crus dans un moule où l'ordre des choses serait plus imprécis, où les distinctions de toutes sortes, à défaut d'être abolies (si jamais Helga fut utopiste jamais elle ne fut aveugle), seraient bouleversées et emmêlées.

« Eh bien, entrons quand même », précisa monsieur Mirage.

Ils entrèrent et je les suivis quelques minutes plus tard, quittant l'auvent de toile rouge où je m'étais abrité.

Homme de culture éclectique et dont le cosmopolitisme du goût avait immédiatement plu à Helga, monsieur Mirage était craint pour sa plume d'humeur autant que pour sa susceptibilité. Il n'avait aucun domaine de prédilection, aucun hobby déterminé (ou avouable, car il était très conformiste) et pouvait tout aussi bien parler de littérature que de peinture, de danse ou de théâtre, de mode ou de politique, de gastronomie ou de cinéma. Il s'était glissé un jour dans l'un des cours d'Helga et en avait donné un compte rendu dithyrambique dans le feuilleton de son journal. Il était le premier journaliste à traiter un cours professoral comme un critique assassine ou encense un roman, un film, une pièce de théâtre. Personne n'y avait songé avant lui. Tout le monde en parla. Helga voulut le rencontrer. Ils devinrent amis.

Monsieur Mirage fréquenterait indifféremment, par la suite, le campus ou la Villa des Verseaux. Il avait expliqué, dans son article que le cours d'Helga était la preuve éclatante que « la vraie vie » se trouvait sur le campus, sans préciser vraiment ce qu'il entendait par là. Ce campus est une oasis pétillante au milieu de notre désert », écrivait-il. Monsieur Mirage avait aussi les métaphores de sa profession, qui, dans ce contexte, les lui reprocha. Car c'était l'époque où certains journalistes passaient leur temps à s'écrire des lettres par articles interposés.

Quelques semaines après leur rencontre, monsieur Mirage fit savoir à Helga qu'il voulait créer une revue littéraire et qu'il lui plairait de bénéficier de son concours. Helga trouva le nom de la revue ; elle lui conseilla en fait de racheter le titre d'une petite revue japonisante publiée par les presses universitaires pour lui donner un certain prestige. Dans cette revue fondée au milieu du XIXᵉ siècle de grands écrivains avaient écrit : E. M. Forster, Gide, Valéry ou Pierre Loti ; mais personne ne s'en souvenait. Mirage racheta donc *La Revue de Tokyo* et *La Revue,* comme on l'appela, devint rapidement un carrefour d'intelligences rivales et le lieu de plusieurs œuvres croisées. Chaque volume comprenait une centaine de pages sur papier bouffant non massicoté : cela ne s'était pas fait depuis des décennies. Et ce qui passait pour une excentricité élitiste, bien entendu joua en faveur de la revue. Le premier samedi du mois, les inconditionnels de cette revue allaient retenir une table à l'Aphrodisiaque puis se mettaient, entre un milk-shake ou un cappuccino, à manipuler lentement, délicatement, des feuilles de papier qui avaient la texture, le grain, le relief des nappes damassées. La lecture commençait dès que le coupe-papier (gravé aux initiales de la même revue) était posé sur la table à côté de la petite cuiller. Ces gestes simples accompagnaient la résurgence de rites anciens plus que la réapparition d'un snobisme, mais aussi le souci d'affirmer la nécessité d'un style plutôt que la volonté de paraître au-dessus de tout style.

Car « du style » *La Revue de Tokyo* en eut dès le départ. Sur des sujets extrêmement variés, elle offrirait aussi bien un essai sur Beau Brummel, une lettre inédite du vieux Jim à Nora, une nouvelle d'un jeune auteur prometteur intitulée « Pourquoi diable écrivent-ils ? », un article sur les paquebots, ou bien une rêverie de grand couturier sur la mode d'après-demain. La revue se voulait internationale. Elle l'était. Helga se chargea de fouiller sa mémoire universitaire pour mettre à profit les contacts qu'elle avait établis dans tel ou tel pays. Et Mirage s'apercevrait que l'université, véritable agence internationale, comptait, dans les seules relations d'Helga, plus de correspondants que son journal. Helga, je dois dire, prit un certain plaisir à battre le rappel de ses vieilles connaissances. Au vu des réponses, Mirage fut assez étonné de constater une telle empathie et une telle générosité. Mais depuis qu'elle avait été en Inde, Helga avait reçu de si nombreux témoignages de générosité qu'elle s'était interrogée en elle-même sur le sens de cette générosité. Et elle en avait conclu que les gens qui n'ont rien à donner sont par nature plus généreux que les autres mais aussi que l'Occident haïssait tout geste gratuit, selon le principe qu'une chose doit obligatoirement s'échanger avec une autre et être soumise à l'épreuve d'un troc. En dissociant son comportement de cette mentalité générale, Helga s'était peut-être dit que « le monde » (c'est-à-dire ses amis) lui saurait gré de n'avoir jamais pris ce que les autres hésitaient de toute façon à donner. Or c'est en passant sa vie à donner qu'on se fait des amis. (L'inverse n'est jamais vrai.) Mais il y a deux sortes d'amis : d'une part ceux qui confondent le culte qu'on leur porte avec l'estime qu'ils ont pour eux-mêmes et qui n'hésitent pas à accepter les faveurs dont on les crédite, sans jamais penser que l'amitié crée des devoirs ou qu'elle inspire un mouvement de retour, un va-et-vient permanent entre les privilèges accordés et les services que l'on est en droit d'attendre ; les véritables amis sont ceux qui ne font pas de l'amitié un commerce mais une sorte d'idéal des relations ; ceux-là seuls savent régler leurs échanges dans une balance justement équilibrée entre le geste de donner et celui de prendre.

Après m'avoir demandé de traduire de l'anglais certains textes pour la revue, Helga me présenta à Mirage dont la culture me fit l'effet des miroirs convexes aptes à déformer le visage des choses et à refléter non pas un simple reflet mais une interprétation, cette image inventée des choses, cette inflexion, cette altération qui, tel le tour de passe-passe du prestidigitateur, a toujours eu à mes yeux la vertu des véritables magies. Mirage porta au comble le détournement des usages culturels. Au lieu de faire des comptes rendus de livres, Mirage inventa de demander aux auteurs de faire eux-mêmes la critique des critiques de leurs livres. Toutes n'étaient pas publiées. Mais, victimes d'articles trop incisifs, certains écrivains se prirent au jeu fort complaisamment. L'auteur des *Hésitations de Werther* sauta avec joie sur ces pages de vengeance pour reprocher au *Figaro* d'avoir écrit ceci : « Après avoir lu ce livre, on ne peut malheureusement pas savoir si Werther éprouve un authentique désir pour Charlotte. C'est un roman trop incertain pour être cru sur parole. Tout lecteur est en droit d'attendre des héros en chair et en os, non des tigres d'encre et de papier. » Pareillement un jeune voleur plein de talent raconterait comment un autre journal avait parlé de son premier roman, *Le Pyromane* : « Si l'auteur avait eu la chance d'avoir un directeur littéraire plus soucieux de le relire que d'écrire des livres sentimentaux, il aurait pu nous épargner cette inutile masturbation qui gicle sans prévenir à la face du lecteur. » Mais Mirage et Helga se firent plus inventifs que pressés d'offrir à leurs lecteurs de tels amuse-gueule. Des écrivains de renom publièrent des recettes de cuisine dans la revue et des hommes de science jetèrent dans l'arène des poèmes inédits. Des traducteurs avouèrent le plaisir qu'ils prenaient à faire délibérément des contresens ou à dénoncer les fautes de leurs confrères. Helga, quant à elle, publia de minuscules essais. Ses vignettes, comme elle les appelait, avaient un étrange pouvoir aphoristique. Leur concision avait été encouragée par Mirage qui avait expliqué un jour à Helga qu'un article idéal devait être construit « comme un œuf » et de ce conseil journalistique Helga avait fait une loi à laquelle elle se tenait mais dont elle percevait aussi qu'elle contredisait dans son principe le livre sur l'utopie qu'elle voulait écrire. Faire court, en désengageant la pensée de ce laboratoire où les idées sérieuses sont censées accoucher et puis, d'autre part, participer à la création de nouveaux lieux de vie et d'expression motivait plus Helga que la gestion traditionnelle de sa vie intellectuelle. Ainsi, à côté de son cours d'Imaginaire érotique, il y avait L'Aphrodisiaque, *La*

Revue de Tokyo, et maintenant, le Bain. À certains moments elle regrettait d'être enseignante, sachant que les paroles, par leur nature volatile et instable, butent très souvent sur le vide ou bien sur des têtes sans mémoire. Que des idées jetées sur le papier deviennent concrètes grâce à un pouvoir d'imprimer qui rend non éphémère le cours des mots la fascinait. Il lui arrivait même de trembler à la pensée que ses propres vignettes publiées dans *La Revue* avaient apparemment plus d'écho, dans le monde, que ses longs séminaires de faculté. Elle trouvait cela injuste, disproportionné mais peut-être également illusoire (secrètement, elle rêvait de placarder la matière écrite de ses cours sous la forme de dazibaos).

Mirage représentait un pôle sensible et important dans la vie d'Helga parce qu'il incarnait cette tradition inventive qui le mettait hors d'atteinte des rapports conflictuels des Incroyables et des Invisibles.

L'entrée simultanée de Mirage et de Vertige au Bain fut aux yeux d'Helga l'un de ces hasards providentiels qu'il faut accepter sans rechigner et qui ne pouvait pas ne pas lui rappeler sa rencontre avec Son Émouvance. Lola était entrée en scène à un moment clé de la réflexion de son cours sur la métaphore hermaphrodite, pour en constituer en quelque sorte la preuve pratique. Vertige semblait l'exemple le plus remarquable du dandysme exalté par *La Revue de Tokyo* : un grand corps d'athlète, des lèvres framboise, des cheveux plantés drus avec un gel fixateur qui évoquaient des épis de blé coiffés sans grâce par une bourrasque imprévue, une poitrine brocardée de dizaines de badges colorés. La beauté de Vertige allait au-delà de cette apparence contrastée. Chaque année, lorsque le campus sentait venir l'été pour se mettre en grève, le rôle joué par Vertige était déterminant. Quand plusieurs groupes s'étaient déchirés entre eux, n'offrant plus que le spectacle de leur déchirement, Vertige apparaissait sur la scène du Grand Amphithéâtre et, après une série de gestes mimés, laissait sa voix gravir un à un les degrés du volume sonore de l'espace puis distancer les derniers échos qui l'avaient empli pour imposer le timbre grave de son émotion. Renvoyant dos à dos les prétendants au titre de leader, Vertige, qui tirait la puissance de son charme du fait qu'il ne revendiquait ni ne réclamait rien, prenait la place que d'autres avaient rêvé d'occuper à coup d'intrigues.

Il partageait son temps entre L'Univers, où il buvait de la bière blonde, L'Aphrodisiaque où il avait une table pour disputer des parties d'échecs, le Gymnase universitaire où il allait poursuivre d'intenses exercices musculaires, et puis sa chambre d'étudiant — un pigeonnier installé au sixième étage d'un hôtel moyenâgeux en attente de restauration où il passait de nombreuses heures à relire les œuvres de Joyce perdues dans un capharnaüm de littératures empilées : classiques de programme mêlés indifféremment à des magazines plus érotiques que l'on reconnaissait au sigle arboré : petit lapin blanc ou papillon bleu (les lapins l'emportaient en nombre sur les papillons). Sans nul doute cette collection eût choqué certains de ses amis qui y auraient vu la preuve d'un comportement « P.I. » (politiquement incorrect), depuis que le goût était soumis à une estampille morale et politique. Mais chez Vertige, la liberté du hasard avait le droit de pénétrer gratuitement une vie en apparence désorganisé. Son dandysme était un dandysme parce qu'il négligeait toute finalité préconçue, sans pour autant nier la nécessité des règles. Simplement il les transgressait, en les bousculant. Et Vertige avait fait de son corps musclé, à une époque où le sport connaissait des heures critiques, la marque signalétique de son dandysme.

Mirage était plus galant que jamais à l'égard d'Helga et celle-ci se laissait volontiers envelopper par les manières surannées d'une vieille courtoisie n'ayant plus cours mais qui se répliquait avec un lexique de choix, un baisemain lent et discret, une forme non accentuée de voussoiement (« Chère Helga, vous êtes resplendissante ! ») Tout en parlant, Mirage venait d'entrevoir, dans l'espace laissé ouvert des portes battantes, un ballet de poitrines nues et instinctivement, il cherchait les gonds, les charnières, afin de fermer tout cela au plus vite, lorsque, soudain, les portes rouges se refermèrent d'elles-mêmes avec, dans leur mouvement de repli, un frémissement qui avait la fragilité d'une étoffe, le mystère d'une tenture, la ténuité d'un petit courant d'air.

Helga souriait et Mirage suivait son regard qui, au lieu d'être franchement posé sur lui, venait d'obliquer dangereusement en direction de Vertige, en direction de la musculature froissée de ses cuisses et de la toile noire d'un pantalon de coton, vers une ligne de sourcils qui se rejoignaient au-dessus d'un nez grec, vers ses yeux noirs que la moiteur de l'entrée venait d'embuer d'un voile de cataracte (semblable à celui qui, chez les vieillards, donne, paraît-il, le vertige précipité des absences).

Je me proposai de servir de guide à Mirage et à Vertige avant leur entrée dans le labyrinthe.

« Là ce sont les couloirs des vestiaires, dis-je, après

avoir poussé l'une des portes. Tout au bout ils mènent à la Salle de Repos. On peut se retrouver près de la fontaine, si vous voulez. »

Vertige acquiesçait. Mirage paraissait légèrement évasif. Ses yeux accrochaient les corniches de stuc du plafond et l'enfilade des armoires. La petite clé qui lui avait été remise par Helga ouvrit l'une des armoires et donna accès à un grand peignoir blanc ainsi qu'à une serviette. Le numéro de mon armoire étant beaucoup plus loin, je décidai de m'éclipser. Mais j'eus le temps de voir la gêne étrange de Mirage, tandis que Vertige commençait à se déshabiller avec indifférence, et sa gêne était celle des gens habitués à disserter sur la pratique des autres mais peu enclins à s'abaisser au même niveau de pragmatisme.

Pour accéder à la Salle de Repos — une vaste pièce carrée soutenue par trois arches et meublée d'une plate-forme surélevée du même marbre que le sol où, l'un à côté de l'autre, étaient disposés de petits matelas de mousse recouverts de toile indienne —, pour accéder à cette pièce si centrale dans le dispositif du labyrinthe, il fallait d'abord traverser nu-pieds un bac rempli d'eau chlorée ; on gagnait ensuite une litière puis, assis sur le matelas, on se décidait à extraire d'une petite niche une paire de socques de bois. Le clapotement des semelles sur le marbre glissant serait à peine couvert par le bruit de la fontaine.

Juchée au centre de la Salle de Repos, sur un monticule de rocailles en partie maquillées par des filets de lierres grimpants et des massifs de violettes et de primevères, une vasque de marbre, qu'une colonne contournée en colimaçon reliait entre eux, largement évasée et festonnée

142

sur son pourtour comme une coquille Saint-Jacques, remplie d'une eau glacée et à la surface de laquelle flottait une escadre d'oranges et de gros citrons avec le renfort d'une armée de bouteilles de tonic qui pointaient le périscope de leurs capsules comme des petits sous-marins terrorisés à l'idée de naviguer en zone ennemie — cette vasque se servait des petits canaux creusés dans la rocaille comme d'un trop-plein et l'on voyait, l'on entendait un rideau magique dégouliner par-dessus bord, vider de longues perles blanches dans un réservoir circulaire qui en engloutissait certaines — ou bien toutes, mais lesquelles ? Est-ce, pareillement, ce sentiment d'une vie renouvelée, réingurgitée, redistribuée que communique le bruit d'une fontaine ? Plantées au milieu des villes, les fontaines on toujours paru des sources de survie. Leur seule vue est la certitude d'une oasis, à moins que ce ne soit un mirage. (Mais non, ici, l'eau n'était pas empoisonnée.)

Chaque fois que j'entrerais dans cette Salle de Repos je me mettrais à rêver de villes d'eau où je n'irais jamais et de ces stations thermales où la vie des thermalistes n'est soumise qu'au débit, aux vertus, aux caprices et au goût d'une eau sélectionnée que l'on boit au goulot d'un robinet, que l'on sirote dans un verre rafraîchi ou que l'on voit surgir sous des formes plus ou moins liquides (dans les dégustations) ou plus ou moins solides (lors des ablutions) lorsqu'un jet de geyser sillonne la peau d'un ventre trop gras et assomme un ventre dégarni. Que ne donnerais-je pour finir mes jours — immédiatement — dans un monastère fluvial, une auberge pour convalescents, une prison douce !

Cette fête du corps me rappellerait au moins ceci : nous sommes avant toute chose des êtres d'eau. Nous sommes de l'eau qui gargouille, enveloppée par une mince, caoutchouteuse surface de peau qui, si elle ne nous protège pas contre les désastres intérieurs, parvient tant bien que mal à nous prévenir des intempéries. Il semble, enfin, que les civilisations les plus consolidées, donc, les plus fermées, développent, par nature, des jeux d'eaux. À l'entrée des palais et caravansérails, les premiers gestes d'accueil des visiteurs étaient des gestes d'eau. Vos pieds et vos mains étaient lavés soigneusement avant que vous soyez présenté au chef de la tribu. C'est ainsi qu'il faut apparaître devant le centre du pouvoir, débarrassé des marques ou des meurtrissures du voyage. Cette fête révéla donc aussi une fonction d'épuration et de désintoxication qui ne se ferait pas mieux sentir que lorsque la vapeur, par l'action qu'elle exercerait sur les capillaires et les petits vaisseaux, désengorgerait des bouchons de corps gras.

De petites bougies protégées par un verre de chandelier proposaient, du haut de tablettes fixées aux piliers des arches, une lumière jaune, fuyante et rare. Les lueurs des bougies regardent le miroir blanc de la fontaine puis les laques sombres des panneaux des murs. Perçant la pénombre de la salle, deux ou trois lampes de chevet procurent à plusieurs corps enturbannés et emmaillotés comme des momies la possibilité de lire un journal ou un livre. Dans un angle, quelques personnes se sont regroupées, masses diffuses de fantômes autour desquelles monte un écheveau de nuages enfumés, de rires qui fusent, de lèvres qui sirotent une tasse de thé, de dents éclatantes qui mâchonnent des bâtons de loukoum. C'est là que je vais me réfugier avec Helga. Mais déjà Mirage et Vertige m'ont rejoint, transfigurés par leur nouvelle tenue. La maigreur d'intellectuel de Mirage (on lui voit les côtes) offre un furieux contraste avec la musculature entraînée de Vertige (ses pectoraux font ressortir les disques ronds de ses seins). Mirage paraît intrigué par le pôle superlatif que représente Vertige, par cette exagération hyperaccentuée d'une chair gonflée. Car tout ce qui était musclé lui avait semblé jusqu'ici la preuve d'un anachronisme barbare. Soudain, avec Vertige, les muscles cherchaient à consolider autre chose que des moyens de violence. Car les muscles organisent en effet le maintien esthétique de la peau. Que ne donnerais-je pour sentir cette infanterie dermique se déplacer sur le drapeau fripé de mon corps ! Tant de fois j'avais entendu Helga vanter « la profondeur lisse des athlètes » sans me douter un instant que pour elle l'altérité corporelle n'était pas « l'autre sexe », le sexe viril, mais cette chair dure et quasi monastique des vrais muscles.

J'étais donc plongé dans une lumière résiduelle qui rendait trop flous les contours de l'espace ou les formes des êtres que j'allais croiser, quand je décidai de prendre connaissance de moi-même. C'était l'heure du bilan. Je tâte donc ces membres maigres, ces coudes pointus et, tel Mirage, une bouffée de jalousie me gagne à la vue des déhanchements assurés de Vertige. Je me demande jusqu'à quel point il serait possible de changer de peau, jusqu'à quel point on peut rêver de devenir physiquement un autre et si le corps dans lequel j'habite m'a été donné pour toujours ; si, par le plus grand des miracles, il ne serait pas « rachetable ». Déjà l'humidité qui régnait dans ce Bain réussissait l'impossible : atténuer des tares physiques que je pensais éternelles quelques secondes plus tôt (donc, à l'instant). Car chaque pièce du Bain représenta l'étape d'une utopie. Dans la Salle de Repos, j'aurais brièvement l'illusion d'être séduisant, oubliant du même coup les vers du poète :

> *Celui qui veut unir dans un accord mystique*
> *L'ombre avec la chaleur, la nuit avec le jour,*
> *Ne chauffera jamais son corps paralytique*
> *À ce rouge soleil que l'on nomme l'amour !*

Mais a-t-on jamais vu une épave se transformer en trois-mâts ? Je n'étais que de l'air ; je ne serais jamais « beau ». Aussi, dans la Salle de Sudation, allais-je aspirer de toutes mes forces à m'évanouir puis, dans la chaleur aveugle de la cabine de sauna, je me dirais naïvement que j'avais « disparu » ; dans la cuve à remous, cette « wooden vat » où, autrefois, l'on ébouillantait les cochons, j'aurais voulu me noyer définitivement. Tels furent, en tout cas, les motifs puissants de nombreux clients du Bain auxquels je me mêlai et qui souhaitaient commettre autant de forfaits anonymes que possible, en toute impunité. Si cette soirée ne fut pas vraiment anonyme — du moins, au début — son esprit, en tout cas, le fut. L'inquiétude de Mirage n'était pas autre chose que cette crainte de n'être plus rien (ce qui ennuie sincèrement les gens qui sont « quelque chose »), ou d'être relégué hors du champ des connaissances.

Dans la Salle de Sudation mes yeux s'étaient vite habitués au trouble manège des bougies, à leur brume opaque percée de clartés fugitives, à leur lente évaporation parmi des souffles onctueux et feutrés, à leur viscosité de bronze rappelant la fluidité louche d'une huile d'olive lorsque, mélangée à un liquide plus léger, elle produit les longs filaments paresseux qui font éclater sa masse étale et dilue sa densité.

Le Bain permettait de considérer la Beauté avec des dispositifs moins banals que le regard. Tout simplement, lorsque la lumière se met à dériver il n'est plus possible de confier à ses yeux le soin exclusif de procéder aux évaluations auxquelles ils sont accoutumés. Et, subvertie par une masse d'eau qui varie en noirceur et en épaisseur, la lumière est privée de ses pointes agressives ; on la voit travailler à exister, se réjouir de son statut de lueur, faire preuve d'humilité : comme tous ces corps rompus d'ordinaire à briller au grand jour et qui doivent réapprendre, avec une précision d'aveugle, à s'égarer dans un labyrinthe.

De ce point de vue, le Bain n'était pas qu'une simple réminiscence, qu'une répétition de la demeure complexe du roi Minos dont on ne sait si elle fut son palais ou son tombeau — ou les deux. Marc avait multiplié en effet, entre chaque grande salle, un dédale d'antichambres et de cabines fermées par des portes à glissière. À l'exception d'un jardin exotique séparant la Salle de Repos de la Salle de Sudation, tous les espaces intermédiaires étaient d'étroits couloirs en forme de boyau ou de L dont l'une des extrémités aboutissait toujours à un cul-de-sac. Le plus long de ces couloirs, entre la Salle de Massage et la Salle de Sudation, avait quelque chose des déambulatoires d'église où les touristes viennent s'attarder à contempler les vitraux en plein milieu d'un office. Mirage viendrait y traîner longtemps, assis sur une banquette de bois blanc, pour observer les techniques de massage du masseur tunisien (recruté par Marc au sein des étudiants étrangers). Et jamais l'on ne saurait si le désir d'être massé venait, chez Mirage, déranger l'observation sociologique. « Allez, détendez-vous ! » implorait Helga qui soulignait ainsi les difficultés d'adaptation de Mirage et sa propre supériorité dans l'art de mélanger les genres, les plaisirs du corps et ceux de l'intelligence. Mais Mirage ne se détendrait pas complètement, souffrant moins dans son corps que dans son cœur où il tenait prisonnière l'idée qu'il se faisait de l'intégrité de son « Moi ». (Par contraste, jamais pareilles balivernes ne s'ajouteraient à mon handicap.) Mais le directeur de *La Revue de Tokyo* ne pouvait admettre d'étendre à Istanbul l'éventail de ses connaissances.

Le poudroiement ouaté qui naviguait sous les hautes voûtes de la Salle de Sudation, le léger chuintement de l'air chaud expulsé depuis des grilles de laiton encastrées dans le marbre des murs ; les lueurs tamisées s'échappant des guérites de verre grillagé à la manière de petits animaux apeurés qui hésitent à quitter leur cage même si l'on vient les délivrer : tout, jusqu'au clapotis de l'eau qui affluait en permanence dans les huit bassins en forme d'auge (adossés au mur de huit compartiments ouverts sur la partie centrale de la pièce et surélevés comme des estrades), tout cela contribuait à imprimer des gestes prudents et d'une lenteur, qui, dans d'autres circonstances, eût semblé pesante, paralysante, inepte.

Avant de prendre place dans l'un des compartiments, je m'assis au bord de l'estrade où Vertige s'était mollement allongé sur le côté avec une jambe repliée sur l'autre, tout en m'interrogeant sur le sens des ablutions collectives auxquelles se livraient plusieurs personnes. À deux pas de là il me semble bien qu'Anna, désormais une longue colonne de vapeur rose, subissait un massage sous les mains expertes et boulangères du masseur.

Pendant que Vertige observait des visages maintenant presque dépourvus de visage et sur lesquels une brume moutonnait allusivement, je me mis à observer à mon tour ce que je voulais voir. Vertige offrait ce qui, dans le corps d'un homme, m'avait toujours fasciné : une fine musculature qui se torsadait chaque fois qu'elle était sollicitée ; mais aussi toute une masse corporelle où certains caricaturistes ont cru déceler la forme d'un V et qui monte des fesses aux épaules, comme vers la cime d'un arbre géant les solides frondaisons, et que l'habitude fait nommer une carrure. La beauté de Vertige tenait à cette puissance sereine jamais inquiète. Vertige n'avait pas à supporter, lui, cette terrible et fausse infirmité qui me mettait des boulets au bout des bras, ce ventre fripé et mou, ces bras si peu charnus qu'on les eût crus d'un fantôme, ce regard fuyant et honteux et terne (moins par timidité que par superstition), cette affreuse sensation de n'être pas à soi qui empêche d'acquérir l'indispensable satisfaction d'avoir un corps que l'on est fier de reconnaî- tre comme le sien, que l'on accepte et que l'on aime, dont on refuse d'exagérer les défauts : car voilà mon portrait.

Alors que la sueur perlait à grosses gouttes sur l'arête de son nez et sur ses tempes, alors qu'elle rougissait le lobe de ses oreilles, lézardait une peau nerveuse, soudait ensemble les touffes de poils parsemées sur son buste ou bien accrochées sous ses aisselles comme des buissons, des lichens, des mousses de forêt, rien ne paraissait pouvoir subvertir cette supériorité et cette assurance si étrangement proportionnelles au poids en muscles de leur propriétaire.

Autant je me sentais inconsistant, vide et inerte, chaque fois que j'étais amené à me penser sous la seule dimension corporelle, inerte et rigide, et de cette rigidité cadavérique que l'on observe dans le maintien des grands mimes tragiques, autant Vertige était animé par la vitalité proprement vertigineuse d'un corps comparable à ces matelas durs et fermes qui ne laissent jamais deviner le schéma de leur structure ou le relief de leurs ressorts parce qu'ils associent l'idée du confort physique à une certaine insensibilité. Les épaules voûtées de Vertige suggéraient ces corps étanches qui n'offrent aucune prise, ces masses d'énergie contenue qui peuvent entrer en action à la moindre demande. En Vertige sommeillait donc l'indifférence de la vraie force, la force comprise et autonome dont je n'avais idée qu'en l'observant chez les autres.

Quand l'un des boxes d'ablutions fut libéré, je me précipitai pour l'occuper. Vertige, à mon grand embarras, me demanda s'il pouvait l'utiliser en même temps que moi. Je ne pouvais pas dire non, je n'en avais pas les moyens et j'éprouvais une certaine appréhension à devoir scruter d'un peu plus près sa peau lustrée, alors que je n'avais que le squame de ma peau à offrir en pâture. Étais-je superstitieux ? J'avais en effet tendance à croire que les idéaux esthétiques ne relèvent que de la contemplation et que, convoqués au milieu du monde, ils s'empressent de nous décevoir. Ici, Vertige avait l'air d'être plus une Idée qu'une Réalité. Trop absent, trop distrait et vague, son regard était comme celui d'un autre qui se serait glissé pour la circonstance sous son apparence de peau. Plus la chaleur de l'oasis brûlante où nous nous étions glissés se ferait précise, plus son visage s'amollirait ; des rides formeraient des rivières là où la sueur et l'eau viendraient couler ; la moiteur des atmosphères ferait sortir de tous ses pores les toxines qui s'y étaient logées ; pourtant on ne pourrait discerner qu'une infime modification dans tout son être. Son corps ainsi plié, Vertige trouverait presque du plaisir à cette dénaturation de lui-même.

Le masseur passa distraitement devant nous et nous tendit à chacun un gant de crin, un petit savon et une bouteille d'eau en plastique coupée en deux. Bien qu'aucun de nous n'en eût fait la demande, il déclara sur un ton d'impératif : « Je reviens tout à l'heure vous masser. » Vertige semblait inquiet, ses yeux spontanément reprirent la dureté métallique qu'un halo humide avait momentanément atténuée. Le masseur disparu, il se tourna vers moi : « C'est gratuit ou quoi ? Il fait ça à tout le monde ?

— Je pense que oui, dis-je.

— Mais moi j'ai pas envie d'avoir les reins cassés par ce mec, répondit Vertige avec un sourire qui laissait apparaître l'ivoire détrempé de ses dents et je sentis que sa résistance venait d'être suffisamment entamée par l'annonce sans équivoque du masseur, pour que s'installât en lui une curiosité mêlée de candeur. La curiosité cédant le pas au désir, Vertige n'insista pas davantage. Il me posa, en revanche, des questions sur Helga. Il voulait savoir si je la connaissais bien. Ma réponse, parce qu'elle devait faire suite à une question que je ne m'étais jamais posée et dont la profondeur m'échappait complètement, ouvrit un dialogue entre nous.

« Helga est mon professeur de thèse. Elle va souvent à L'Aphrodisiaque et elle vit avec Marc qui a eu l'idée, avec elle, de ce Bain.

— Oui, ça je savais. J'ai lu une affiche dans le Grand Hall qui appelait à " la révolution sensualiste ". C'était pendant le challenge international d'athlétisme. Et j'ai trouvé ça intéressant. Et si j'ai bien compris Helga voudrait que ce Bain devienne une sorte de salon, non ?

— À peu de choses près, c'est ça ! », dis-je.

Nous nous mîmes à rire. Mais les raisons de notre rire divergeaient quelque peu. Vertige riait parce qu'il trouvait cela drôle. Mon rire ne faisait qu'accompagner celui de Vertige. Je faisais de mon mieux pour être à la hauteur de son rire magnifique.

« J'aimerais bien aller au cours d'Helga, reprit Vertige. Tu crois qu'on peut y aller sans être inscrit ?

— Il faut lui demander, mais je pense que oui.

— Tu peux me présenter ?

— Oui, bien sûr. Vous vous êtes déjà croisés tout à l'heure.

— Entre nous — je peux te dire quelque chose ? — si elle n'était pas aussi intelligente je suis certain que personne ne ferait attention à un pareil boudin.

— Tu as l'air de croire que les gens l'aiment malgré son obésité, c'est bien ça ? demandai-je d'un ton pincé.

— Avoue que c'est quand même intrigant, allez, quoi !

— Je ne suis pas d'accord du tout. Son obésité contribue à son charme. Et je suis même certain que personne ne s'intéresserait autant à sa pensée si elle ressemblait à un mannequin de mode. Je crois même que,

152

dans ce cas, on mettrait en doute tout ce qu'elle peut dire et on ferait découler ses théories des contours de ses hanches ou bien de la sveltesse de sa ligne. »

Ma défense vindicative d'Helga surprit un peu Vertige. Mais s'il avait consenti à m'examiner plus attentivement, moi pour qui tout est aquilon et rien n'est zéphyr, il aurait vu que défendre Helga devenait dans mon esprit le moyen d'assurer ma propre défense.

Dans ce compartiment de marbre où la lumière se liquéfiait et glissait, luisante comme le pelage d'un chat, avant de se scinder, sur le dallage, en de multiples réverbérations fibreuses qui granulaient les ombres projetées de nos deux corps assis, telles ces volutes d'encens que l'on voit lécher dans certains temples d'Asie la surface adipeuse et rebondie du Bouddha, je me rendis compte que, loin d'être mollement indifférent au physique d'Helga, j'étais vigoureusement attiré par sa complexité massive — mais ça je l'ai déjà expliqué, n'est-ce pas ?

Cela dit, l'interrogation de Vertige qui ne faisait qu'exprimer ouvertement ce que l'on entendait dans les couloirs de l'université (dans la bouche d'étudiants recalés ou dans celle de professeurs aigris et envieux de la réputation d'Helga) venait à point nommé. Car l'empathie que je manifestais en volant publiquement au secours de mon Bouddha préféré m'intriguait autant que la fascination respectueuse (et collective) qui s'exerçait à l'avantage de Vertige, ce bellâtre déjà trop célèbre.

Mais il est parfois des attirances que l'on met du temps à s'expliquer et qui ne peuvent se ramener à un concours de circonstances ; car si le hasard a pu jouer son rôle dans cette histoire, il n'explique pas tout, ne soyons pas plus bête que lui ; il n'est peut-être, ce Dieu commun à toutes les époques et toutes les sociétés, qu'une manifestation énergique et antidatée des motivations profondes dont nous ne prenons connaissance que beaucoup plus tard, lorsque se réalise ce que nous avions souhaité mais pas consciemment rêvé.

Tout en dialoguant, Vertige et moi avions commencé à nous laver (car, de trop parler on finit par oublier l'essentiel), au milieu d'une flaque d'eau lourde qui n'avait pas le temps d'être résorbée par le siphon que déjà le trop-plein du petit réservoir venait renflouer ses méandres à jet continu et lui redonner une fraîcheur qu'elle avait perdue au contact du marbre chaud. Et comme les coulées basaltiques qui descendent continûment des pentes d'un volcan sans donner aucun signe de faiblesse, cette eau froide adhérait au marbre, épousait la diversité de ses taches, s'infiltrait entre les plis des pagnes de coton éponge que nous portions, communiquait des picotements, clapotait entre nos cuisses.

Assis en tailleur, à mes côtés, avec son buste d'automate, le visage penché en arrière, Vertige me faisait penser à ces gens d'autant plus épris de discipline que leur tempérament ardent et sensible devrait logiquement les en détourner. Les gestes lents et assurés qui lui firent prendre le gant de crin, l'imbiber d'eau savonnée et le plaquer énergiquement sur ses épaules et sa nuque donnaient l'impression athlétique d'une personne pourvue d'un catéchisme d'hygiène et de maintien corporel dont les règles simples permettent de se constituer une armure à toute épreuve, y compris celle que la fatalité de la vie impose à celle-ci au moment où elle s'y attend le moins.

154

Le mouvement imprimé par Vertige aux muscles de son corps leur donnait l'élasticité compacte et ferme que des ressorts hydrauliques apportent à la suspension d'une voiture. L'énormité de ses pectoraux (deux moitiés de melon qu'on aurait d'abord évidés et dont on aurait retourné ensuite la peau charnue) et que l'eau éclatisait en retombant de ses épaules, que des lueurs indirectes mordoraient pour mieux faire ressortir la pointe brunie des mamelons et, enfin, que la moiteur de l'air paraissait éponger : toute cette énormité fragilisait l'idée que l'on se fait de la musculature chaque fois que l'on voit en elle une force opaque et insensible. La musculature ne serait-elle pas la version dure d'un principe de mollesse ? Car la peau cuirassée de Vertige était si étrangement proche, par la forme et la couleur, des matières qui menacent de fondre si on les expose à une source trop élevée de chaleur, qu'on ne pouvait s'empêcher d'établir un parallèle — certes, paradoxal — entre les muscles et la graisse, entre le souffle de l'athlète et l'essoufflement d'un obèse.

Vertige étant un adepte sincère des cours de culture physique où le surentraînement a parfois l'allure d'une suralimentation, son corps était doté d'une force contractile supérieure à ce qu'elle aurait dû être (c'est-à-dire si Vertige avait laissé « la nature » faire son office). Et sur lui, les muscles rubannés de la colonne vertébrale, les muscles orbiculaires des lèvres et des paupières, de même que les muscles longs des membres et de l'abdomen couraient en permanence le danger de tétanisation. Quelque chose de rigide, mû par un fil conducteur interne, semblait se faufiler sous l'épiderme d'une peau qui gonflait et tremblait avec la consistance des jellies anglaises ; frémissante, transparente, opaque, elle vacillait

155

sous l'effet de sa propre masse et de multiples stimulations commandées depuis un centre moteur secret de la moelle épinière. Le dynamisme que Vertige imposait à la fibre musculaire de son énergie se répercutait dans la plus infime oscillation de ses gestes ou de son activité, dispensant au hasard de sa peau des réflexes érectiles chaque fois qu'un message interne et inconscient la sollicitait à un endroit donné. Ainsi le mouvement de rotation qu'il venait d'effectuer avec le muscle pronateur de son avant-bras pour diriger une main mouillée vers sa nuque transformait-il le V du biceps et du triceps brachial en un instrument hypertrophié qui n'était pourtant tendu qu'à la moitié de ses possibilités. L'humidité chaude qui faisait rougir progressivement la cambrure de ses muscles — phénomène amplifié par l'atmosphère de dilatation et une tension nerveuse due à la nouveauté de la situation — donnait à ses bras et à ses cuisses (chacune aussi large que mes deux fesses) l'aspect peu rassurant des pinces écarlates et sournoises de vieux homards.

Même assis en tailleur, Vertige pouvait gouverner parfaitement l'inclinaison de son dos et la chute de ses reins grâce à un programme de contrôle sur soi. Chacune de ses positions correspondant peu ou prou au cran d'une clé à molette magnifiquement réglée, Vertige donnerait toujours l'impression de ne pas laisser entrer le hasard dans la conduite de son corps et dans son maintien. Son dos aurait successivement une forme presque verticale ou bien rigoureusement perpendiculaire au sol ; son tronc soudain s'inclinerait comme une pendule ou bien s'avachirait comme une cascade ou bien s'arc-bouterait sur le marbre afin de faire croire que, par le biais d'une alliance passée avec la pierre, il prenait la forme rupestre des

arbres fortement plantés en terre ; enfin, chaque fois qu'il passerait ses bras derrière sa nuque, en redressant le torse, il aurait cette forme noble et penchée dite du « lettré » que les Japonais, et avant eux les Chinois, aiment donner à leurs arbres nains, car c'est la position la plus élégante qui est aussi susceptible d'évoquer l'élévation de l'âme ; à l'inverse de la verticale, en effet, elle donne l'impression d'une direction jamais atteinte des plus hautes sphères du ciel et évoque l'effort entrepris dans cette direction : on dirait même, dans ce cas, qu'elle tire sa supériorité de cette recherche d'un équilibre pareil à l'escalier qui lorgne vers autre chose que le sol sur lequel il repose.

Vertige me demanda de lui frotter le dos « énergiquement » avec le gant de crin. Le trouble que me causait cette peau venant à point nommé de mon inquisition indiscrète (mais tout regard, où qu'il aille, ne l'est-il pas ?), je ne pus résister, alors que j'arpentais déjà les centimètres carrés réquisitionnés de ses épaules, au désir de l'interroger sur sa pratique musculaire. Et, à peine avais-je enfilé ce gant rêche au travers duquel je sentis à quel point le toucher est un ordinateur des sensations aussi précis et sensible que celui que nous avons coutume d'attribuer à notre vue (et cela, au nom d'une hiérarchie discutable) que soudain je fus en mesure d'évaluer la charge de travail que cette peau avait supportée avant d'acquérir la difformité calleuse qui la recouvrait. Vertige avait en effet sur les épaules comme de petits coussinets de nervosité, des poches de cuir vivant dont on pouvait voir osciller l'océan miniature des rides et des plis.

« Tu fais de la musculation plusieurs fois par semaine ? demandai-je.

— Deux fois par jour.

« — Pourquoi autant ?

— Parce qu'on perd très vite le travail accumulé. Les muscles, c'est jamais quelque chose de définitivement acquis. »

L'électricité diffuse que le crin communiquait à mes doigts m'incita à réfléchir à sa réponse. Puisque les muscles n'étaient au corps qu'un adjuvant hypertrophié et quantifiable, qu'une architecture réversible, on pouvait supposer que leur parenté avec les situations adipeuses n'était pas que théorique. Qu'un homme musclé perde soudain tous ses muscles (quelle qu'en soit la cause) ou bien qu'une femme obèse connaisse le miracle d'une fonte spectaculaire de ses tissus graisseux : l'un et l'autre en seraient réduits à se glisser à nouveau dans la chair du mannequin de base de la morphologie humaine : le squelette.

Plus je regardais Vertige et plus je le touchais, plus me semblait inessentielle cette distinction sacrée que l'on opère entre deux hypertrophies, l'une, noble (les muscles), l'autre, coupable (la graisse). Et si, après tout, l'une d'elles n'était que la forme valorisée de l'autre, la forme publique de l'autre ?

Dans ma maigreur scoliotique de jeune homme aux pieds plats, je me rendais compte que j'étais en train de renverser la hiérarchie des choses entre les gros et les forts car si un corps musclé était désirable, un corps obèse pouvait bien l'être également, la musculature étant une forme d'obésité imposée au corps par l'exercice de la volonté et d'une pratique, non par les hasards anarchiques de la physiologie. Encore ce découpage n'a-t-il rien d'absolu. Qui pourrait nier que certaines grosseurs ne font leur apparition que lorsque l'individu où elles vont se greffer a sollicité à plusieurs reprises et par voie inconsciente, ce pouvoir imprimé par l'esprit à notre machine corporelle ? L'obèse et l'athlète ont peut-être le désir commun d'une enveloppe hermétique (lâche ou tendue, lisse ou dure, peu importe), ce que mon être hypotrophe n'a jamais connu. À bien observer Vertige et Helga en ma présence, on en aurait déduit que nous sommes tous des êtres phénoménaux. Et comment en douter ? Vertige me semblait le monstre d'Helga et Helga le monstre de Vertige ; et leur double monstruosité me renvoyait l'image de la mienne. Car, placé en face d'eux, j'avais l'air inexistant, je me sentais la pâle esquisse d'un projet incomplètement réalisé que leur double difformité, à mes yeux, compensait.

Il faut admettre qu'au-delà d'un certain âge la minceur est une sorte d'indélicatesse et qu'avant cet âge elle procure une identité jouventine et presque poupine. Et je me disais, je me disais que Vertige et Helga voyaient sans doute en moi une balance sur laquelle ils pouvaient lire l'état exact de leur propre volume. Je serais, je serais, continuai-je d'imaginer, leur miroir de vérité. Mais moi, qu'allais-je donc chercher en eux ?

Un cortège d'ombres chinoises se succéda dans la Salle de Sudation. Des regards s'abîmaient, véritables soleils somnolents et tristes, embués, presque vitrifiés sur la faïence humide des murs et sur les reflets trempés de corps qui exhalaient une odeur de sueur âcre et chaude. Le Bain révélait la diversité effrayante et exceptionnelle des odeurs et des imperfections morphologiques. Le dos de Vertige, pourtant si fier et si développé, était grêlé de petits points noirs qui donnaient envie de les presser un à un pour les faire disparaître. Mise en présence et à égalité d'autres races animales, notamment celles à fourrure, il n'est pas certain que la peau lisse et vallonnée qui recouvre l'être humain emporterait l'adhésion unanime d'un jury impartial. Car nos idéaux esthétiques sont sans cesse contredits par le nombre et la laideur de nos imperfections. Même en travaillant à se rendre physiquement parfait, Vertige se heurterait toujours au mur de l'impossible. Il le savait. L'idéal qu'il poursuivait serait toujours à quelque distance de lui-même — au point qu'il aurait la désagréable impression d'être inchangé. Car Vertige était insatisfait de sa condition corporelle — insatisfait et mécontent. Essoufflé après deux heures d'exercices intensifs, et sombrant dans un état situé à mi-chemin de la douleur et de la satisfaction que l'on éprouve après un moment de plaisir intense, Vertige confondrait la masse de son corps avec la pierre de Sisyphe, n'attendant plus qu'une chose : cet instant précis où, lorsqu'il aurait retrouvé des forces suffisantes, il pourrait reprendre sa course. Paradoxe étrange : alors que son corps suscitait chez les autres une impression de force, celui-ci créait chez lui une sensation de fragilité et d'insécurité permanentes. (Parenthèse : c'est bien entendu une sensation qui ne m'a jamais effleuré ; car ni les efforts musculaires — question de sel ou de potassium ? — ni les diverses tentatives culinaires grâce auxquelles j'espérais, un temps, acquérir un physique plus rebondi, n'ont vraiment abouti. Jamais — c'est si étrange, après tout —, jamais je n'ai eu cette douce impression de posséder un corps périssable qu'il eût fallu protéger contre soi et contre tous, l'un de ces corps pour lesquels on serait prêt à accepter tous les sacrifices et qui permettent sans doute d'accéder à un domaine logé en dehors de l'existence. D'où cet air détaché, cet air chat, quasi absent qu'adoptent les véritables athlètes, ces véritables artistes.)

Nous avions maintenant changé de rôle et Vertige me frottait le dos, muni du gant de crin dont je m'étais servi. La lenteur de ses mouvements de main le long de ma colonne vertébrale suggéraient autant le malaise qu'aurait l'athlète à devoir masser un « coach » à la retraite (car j'ai quelque chose d'un petit vieux) que la curiosité sincère d'un alpiniste à qui l'on demanderait d'escalader une plaine. Sa main fit plusieurs fois le tour de ma nuque, frôla mes côtes découvertes, s'attarda légèrement sur mes omoplates, et cela, avec une douceur que Vertige n'aurait pas autorisée pour son propre corps. Il m'avait demandé, quelques instants plus tôt, de le masser « plus fort » et maintenant voilà qu'il me demandait s'il ne me frottait pas « trop fort ». Par fierté je dis d'abord que non. J'avais l'étrange impression d'être un objet friable entre ses mains. Quelque chose, sans doute, le bouleversait sans que je puisse savoir quoi. Était-ce parce que ma minceur avait été un état antérieur de sa silhouette ? Découvrait-il en moi la nostalgie d'une condition primitive ? Les corps des autres auraient-ils sur nous un effet de ressouvenance ? Mais j'ai une autre hypothèse. Je crois que Vertige, comme du reste Helga, virent en moi la forme trouble du stade neutre, du moyen terme et du milieu — condition difficile des gens impatients que l'on soupçonne, souvent à tort, d'être riches en potentialités diverses mais qui, hélas, ne peuvent jamais en apporter la preuve définitive. À leurs yeux je n'étais pas maigre mais condamné à le rester définitivement. Ma maigreur ne pouvait constituer un destin possible. Elle était comme bornée par un « avant » et un « après » débarrassés de toute anormalité. Vertige en revanche n'avait pas d'autre avenir que de rester « en muscles » et Helga ne s'imaginait pas — d'instinct — qu' « être maigre » pût représenter un avantage considérable dans son cas. Bien sûr elle aurait aimé être « moins » grosse et j'aurais aimé moi aussi être « moins » maigre, mais ce « moins » ne représenterait jamais une modification fondamentale de notre être double. Dans cet espace étroit du rêve et du désir, toute une série d'utopies corporelles s'écrivait. Et celle qui se gravait en moi, au point de paraître si physique, n'était peut-être que l'histoire de la maigreur des autres : maigreur ancienne de Vertige, maigreur future, déjà actuelle, d'Helga. Mais jamais je n'aurais imaginé que mon corps trop étique pût constituer l'éthique secrète, la référence incontournable, le centre de gravité de deux principes d'énormité.

Le masseur fit une entrée bruyante dans notre compartiment. Masseur en titre, il posa sur le marbre un seau d'eau froide et retira les sabots de bois qu'il avait aux pieds. S'adressant d'abord à Vertige, il lui demanda de s'asseoir (ce qu'il fit). Le masseur, dont la corpulence massive établissait une fugitive connivence avec la masse arc-boutée de Vertige, pria ce dernier de tendre les mains en direction de ses pieds. Puis, s'asseyant à son tour, il se glissa contre Vertige, passa ses bras par-dessous les siens pour les serrer sur sa nuque dans la pose d'immobilisation d'un sport de combat. Il enchaîna sur d'autres mouvements, il était déjà debout, sommait Vertige de s'étendre face contre sol, avant de bondir à pieds joints sur le haut de ses fesses tout en tirant ses bras en arrière. Les orteils du masseur se cramponnaient sur l'épiderme glissant de Vertige, ils avaient la ténacité des griffes des animaux de proie et, contradictoirement, l'imprécision gauche des pattes palmées des canards. Le masseur accomplissait l'exploit du héros qui veut marcher sur l'eau. À force de l'observer ainsi juché sur Vertige et occupé à le pétrir, à le malaxer comme une pâte et ce, avec d'autant plus de difficultés que le matériau à broyer était coriace, je découvrais les motivations implicites d'une institution nouvelle qui convertissait, par le biais d'une série de rites (déshabillage, ablutions, massage, bain de vapeur, douche, repos), les gens qui s'étaient pliés à elle, en autant de jouets et d'objets, les délivrant du même coup de la pensée qu'ils insufflaient dans leurs corps. Le Bain agissait comme une hygiène mentale parce qu'il s'adressait (paradoxalement) non pas tant au cerveau qu'au corps tout entier, à sa surface, ses muscles, ses os, sa graisse, ses excrétions. Son incontestable supériorité sur les sciences dites psychologiques venait de son pouvoir immédiat de décontraction. Ainsi le masseur, en donnant l'impression à Vertige qu'il pouvait lui rompre les os, ferait oublier à celui-ci l'insatisfaction narcissique que lui causait sa musculature hypertrophiée. Et de même réussirait-il en réchauffant les tendons nerveux de mes articulations noueuses, à me faire oublier mon obsédante et indélicate maigreur — pour autant que cela fût possible.

Bien entendu toutes les institutions sécrétant par nature des réfractaires, le Bain aurait les siens et Mirage, ainsi d'ailleurs que Son Émouvance Lola, probablement trop absorbée par le soin qu'elle apportait à masquer l'être masculin de sa personnalité, ne feraient qu'une furtive apparition au cœur même de la Salle de Sudation et, simplement enturbannés et emmaillotés d'un luxe de serviettes, sans jamais offrir un seul pouce de chair à la contemplation des autres invités. On les verrait même, dans des styles rigoureusement différents et dictés par l'idée qu'ils se faisaient chacun de leur rôle, conférer longuement dans la Salle de Repos, se faisant servir de multiples thés à la menthe. Lola, qui faisait aussi partie des puissances invitantes, expliquerait même à Helga son refus de se mêler à la foule du Bain de vapeur sous le prétexte que l'hôte d'une réception ne peut se fondre complètement dans la cohorte des invités ni s'autoriser à partager leur licence sans risquer de jouer son titre comme on joue un va-tout. En fait, au lieu d'oublier leur condition corporelle, Mirage et Lola seraient vite agacés par le soin que les autres mettaient à assumer la leur. Pour eux cette fête ne serait au fond qu'une « party » supplémentaire, alors que pour moi elle représentait une expérience nouvelle et une épreuve : car je ne suis pas, je n'ai jamais été (à conjuguer à tous les modes) un chef-d'œuvre de physique.

Avant de passer à un autre compartiment, le masseur versa sur la tête de Vertige et sur la mienne un seau d'eau froide qui éclaboussa ensuite le dallage de marbre comme pour le laver de la transpiration que nous lui avions communiquée. Une cascade de frissons jeta des têtes d'épingle sur mes épaules au point de terroriser le derme qui les recouvrait : j'eus l'impression d'être mis à nu une deuxième fois et je crus que ce choc glacé me renvoyait à mes qualités malingres.

Cette eau froide jetée sur moi m'arracha à ma structure osseuse, ma peau rentra en elle-même, se lovant comme elle le pouvait dans ses pores transis, s'agglutinant là où c'était concevable ; mes fesses se contractèrent ainsi que mes joues, des étoiles me crevèrent les yeux puis les rouvrirent et lorsque je retrouvai l'état de tiédeur qui m'avait abandonné un instant, je me dis en moi-même que si l'on soumettait mon corps à l'épreuve de tels écarts de température il reprendrait de lui-même conscience de sa ténuité extrême, pareil à l'escargot qu'on aurait tiré de force de sa coquille et qui serait condamné à faire ramper son échine tortueuse au lieu de s'oublier dans d'impossibles utopies. J'avais peur de faire connaissance avec moi-même.

Helga, tout au contraire, parce qu'elle était attirée par les mécanismes anciens siégeant au plus profond des êtres, parce que tout ce qu'il y avait de barbare, d'ancestral, d'incomplet, d'imparfait et de louche sur une surface de chair ne la laissait jamais indifférente — pour toutes ces raisons et pour des raisons liées à des zones plus secrètes, Helga, donc, savourait la moindre modification apportée à son sens corporel, la moindre thermie soudaine accompagnant cette modification, la moindre fièvre propre à lui faire perdre la rigidité interne de son corps.

Les yeux toujours embués et cherchant dans la luminosité trop diffuse comme à tâtons dans le noir, je venais de me redresser en même temps que Vertige lorque Helga apparut dans l'allée, un voile de coton trempé soulignant

165

dans sa silhouette les contours de ses seins, de ses fesses et de son ventre.

Avant de présenter Helga à Vertige et Vertige à Helga, je sentis que tous les deux avaient commencé à s'observer de cet œil farouche et perçant qu'ont certains chiens de chasse lorsqu'ils découvrent dans un nouvel intrus à la fois un rival et un virtuel complice. Vertige s'était presque statufié, il était maintenant incapable de donner à ses jambes un aplomb naturel et de voiler toutes les proéminences que scrutait justement Helga : petite bosse intime du pelvis et de l'aine, abdomen rebondi, poitrine villeuse, cuisses de lutteur. Ce qui était dur en lui se bloqua et s'immobilisa à la manière des mécaniques mal huilées qu'une grande activité finit par gripper.

Que regardait-il, lui ? Les sinuosités du drap fiévreux qui recouvrait Helga comme l'étoffe de soie d'une geisha ? Non. Ses yeux de rapace s'attardaient sur d'autres lignes, sur les plis déployés de la gorge d'Helga : mille rides d'un rideau de chair tendu entre la base du cou et le cap du menton, tel la voile rivée à son cordage, d'un bateau qui cherche à profiter de toute la force du vent.

Vertige devinait bien sous l'apparence tramée et tissulaire d'Helga une déclivité progressive des bourrelets de graisse qu'une démarche lente alourdissait ou faisait trembloter, en les accentuant davantage. Mais devant un spectacle qui possédait tout le frisson du velours, Vertige prenait connaissance d'un relief accidenté à la fois si proche et si lointain de sa propre géographie tendineuse qu'un instant il dut voir dans cette masse charnelle un double équivoque de lui-même bien que dépourvu de rectitude ou de tension. Et contradictoirement, cette qualité morale qui faisait défaut à Helga laissait la place à une autre, sans doute plus fondamentale. Car il n'y a pas de perte qui ne soit compensée par un gain. Et le corps de Vertige donnerait toujours l'impression aux autres d'être prisonnier d'un garde-à-vous moral, tandis que celui d'Helga continuerait d'être au repos, Helga ayant pris congé depuis longtemps de ce que l'on appelle « l'esprit de corps ».

Plus étrange encore, ce fait, né de l'observation conjointe de Vertige et d'Helga, que la liberté supposée du premier — en dépit d'un système de contraintes — s'opposait apparemment avec plus de violence à celle des autres, puisque tout le monde voulait avoir (deux sens) le corps de Vertige, et non celui d'Helga. Helga, pourtant, inquiétait moins que Vertige. Helga n'était pas un miroir d'obstacles comme l'était Vertige, le « Bibendum », l'homme-Michelin, disait Marc (qui se croyait drôle). De tout cela Helga devait avoir pris conscience car elle désarçonna Vertige la première, en le flattant :

« Quel muscle ! » dit-elle sur un ton où l'admiration voisinait avec la tristesse, comme pour témoigner par avance de la sympathie pour la difficulté de son expérience. Était-il simple d'avoir à promener un corps sur lequel le voyeurisme le plus ordinaire était condamné à s'exercer ? Dans une telle curiosité, il y avait l'étonnement, noté par notre poète préféré, d'une jeune saltimbanque :

Quand tu couvais de l'œil, en tordant ton écharpe
Quelque athlète en maillot, Alcide fait au tour,
Qu'admire le bourgeois, que la police écharpe,
Qui porte cent kilos et t'appelle « mamour ».

Helga posa mille questions à Vertige. Elle voulut savoir comment il avait « fait », dans quelle salle de gymnastique il allait, combien de temps « ça » lui prenait, s'il regrettait de s'être lancé dans cette aventure et si elle le satisfaisait pleinement. Helga resta quelque peu sur sa faim. Car le laconisme auquel Vertige eut recours dans ses réponses ne fit que renforcer chez Helga une certaine inquiétude quant à la maîtrise qu'il avait de son corps. Car si Vertige ignorait autant les raisons pour lesquelles les muscles poussaient sur sa chair qu'Helga ne savait pourquoi, en dépit d'efforts certains, son corps n'avait fait que grossir avant, mystérieusement, de se mettre à rétrécir, il devenait indélicat pour l'intelligence de postuler l'idée qu'il pût y avoir un rapport arithmétique entre la pensée, la réalité et la volonté. Mais le refus des théories inconscientes (ou de leur incarnation temporaire dans la personne de Stromboli) poussait Helga à interroger son existence et à mettre à profit l'examen des pratiques corporelles — et culturelles — auxquelles les autres pouvaient se livrer. Comme on lui demandait ce qu'il pensait du Bain, ce lieu de moiteur et de touffeur si magnifiquement accroché en dehors du Temps, si étrangement en sursis des humeurs violentes, Vertige eut du mal à répondre. Il chercha ses mots, bredouilla et dit enfin quelque chose de ce genre : « C'est bien, c'est bien... C'est athlétique... On a l'impression d'être pleinement soi-même. »

« Être soi-même. » Ce mot dut résonner dans la tête d'Helga avec beaucoup de force puisqu'on devait le retrouver quelque temps plus tard sur une pancarte en lettres de plastique violet, légèrement déformé en un

« Notre corps, nous-mêmes », et ce slogan, posté à l'entrée du Bain, fit le tour du monde. Et Vertige ne sut jamais qu'il en était à l'origine.

Une certaine excitation régnait à l'entrée du Bain de vapeur. Je sentis d'abord que personne n'osait pénétrer le premier dans cet espace labyrinthique enfumé par une bruine opaque. La sensation d'absolu relâchement que la vapeur libérait, la crainte de ne rien voir jointe à la certitude d'être vu, la terreur de ne plus conserver le contrôle souverain d'une peau qui se mettait à prendre eau de toutes parts, à gicler comme une lave baveuse, le souci, enfin, presque moral, de ne pas offrir aux autres l'image d'une totale décomposition corporelle — comme si décontraction devait rimer avec déchéance : sans doute ces raisons s'entrechoquaient-elles assez pour faire douter quelques clients de la nécessité de mettre le pied dans cette fournaise ; pourtant on vit Marc, Jean-Paul Frère ou Anna faire de fréquentes incursions à l'intérieur du « Vapeur », suivis bientôt d'un flot régulier de nouveaux adeptes qui entraient, ressortaient, se dirigeaient vers le couloir des douches puis — pour certains — revenaient. Ceux-là seuls devaient confondre leur sueur avec une sorte de miel — poussés qu'ils étaient, comme des abeilles vers leur reine, à venir goûter à la source sacrée qui en permettait l'éclosion.

Le bref moment de présentation qui permit à Vertige et à Helga de faire ami-ami se mua en interlude et en entracte et la Salle de Sudation où nous nous étions mutuellement ébroués devint l'antichambre d'une carrière plus sensuelle qui me conduisit dans les méandres des nuages du Vapeur. Je compris tout de suite la supériorité qu'avait ce lieu sombre sur tous les autres. À peine avais-je poussé les deux portes de verre fumé qui formaient une manière de sas entre deux atmosphères, à peine venais-je d'entrer à l'intérieur de ce caveau de mosaïque où ce qui retenait le plus l'attention était le bruit de glouton d'une large vasque d'eau froide couverte d'un brouillard de fumerolles, comme on en voit tout en haut d'un volcan encore actif, colérique ou indomptable, que je devinai comment cet anti-paysage moite pourrait à lui seul obombrer les lignes disgraciées que mes côtes dessinaient sur ma silhouette — déplaisants barreaux d'une cage thoracique devenue l'emblème de mon famélisme et non le siège évasé d'un torse musclé qui eût tiré parti de toutes ses ressources pulmonaires.

Enfin, disparaître dans un nuage de fumée avec autant de grâce que les lapins blancs transformés en foulards de soie dans le chapeau du prestidigitateur, même si cette disparition (qui cachait en fait une véritable mutation) permettait à son heureux bénéficiaire de jouer banco de sa propre personne ! Je réalisais ainsi à quel point les philosophies sont relatives lorsque l'une d'elles s'évertue à trouver un principe de liberté dans une existence « authentique », sans penser, bien entendu, que certains, comme moi, pourraient tirer davantage de bénéfices d'une inexistence que d'une apparence d'existence et donc, connaître davantage de joie dans la fausseté d'une situation que dans la vraisemblance d'une autre. Car, la vérité, assurément, est l'amie du faux. Membre, au sein du Vapeur, d'une colonie de « disparus », je me sentais dix fois plus à l'aise que dans l'espace visible et aéré où il faudrait hélas que je retourne tout à l'heure. L'illusion d'être un autre jouait enfin son numéro bucolique (légèrement tempéré par la crainte de redevenir le même qui, elle, commençait à s'installer dans ces fissures étranges de l'identité, à mesure que je m'accoutumais à la serre chaude et quasi tropicale de ce nouveau refuge). Étais-je encore « maigre », moi, dont on ne distinguait plus les formes, à quelques pas seulement des portes de verre, moi qui n'étais plus qu'un souffle dans une brume de souffles, qu'un visage aveugle parmi des gens frustrés de perdre leur visage, qu'une main humide abandonnée au contact d'autres mains et les confondant toutes ?

Comme tout le monde je fis l'exploration d'un périmètre qui ne paraissait gigantesque que parce que le trouble d'accommodation créé par la vapeur faisait faire à chacun de petits pas, nos pieds n'étant bandés que par la peur de piétiner un voisin invisible ou de heurter la plinthe d'un gradin carrelé où l'on distinguait péniblement toute une masse de personnes. La modification profonde de la perception mobilisant en fait notre énergie nerveuse, il semblait qu'en même temps que nous avions laissé au vestiaire nos vêtements avec le camouflage qu'ils composaient sur nous, certains de nos préjugés étaient restés pendus à quelque patère ; hélas nous les retrouverions intacts à la sortie du Bain de vapeur. Parmi la somme de ces préjugés on aurait déniché sans mal la notion de pudeur (à distinguer de la honte), celle-là même qui dissuadait M. Mirage ou Son Émouvance de se joindre à nous. Était-ce par timidité ? par discrétion ? La honte, vraiment, s'en mêlait-elle ? Mais quelle honte ? Quelle discrétion ? Quelle timidité ? Alors que j'avançais à tâtons dans cette grisaille de granite percée de temps en temps par l'éclat des yeux qui jetaient au hasard leurs paillettes de strass, il me semblait évident que ce qui avait causé la disparition de ma silhouette avait transformé mon rapport à la pudeur. Car, si la nudité n'est pas « l'impudeur » pour des peuples habitués à vivre nus, ici, elle était autre chose qu'une mise à nu. La brume recréait l'espace et le cloisonnement que les vêtements distribuent naturellement entre les corps, elle soufflait sur des atomes distincts une enveloppe intime pareille à cette mousse de coton qui recouvre les verres de cristal ; elle faisait rouler sur nous quelque chose de long, de venté et de chaud ; ainsi dilués par l'air compact, tous les visages étaient des poings mouillés en train de frapper dans le vide et la chair qui traverserait les lambeaux de vapeur aurait cette blancheur laiteuse et poreuse du tuffeau humide ; on verrait cette chair devenir rose à certains endroits puis prendre la consistance moelleuse des viandes à peine saisies, elle respirerait doucement, presque ankylosée par son propre poids. Il y aurait un effet mécanique dans cette activité intratissulaire et un effet de pompe totalement bête mais cette bêtise révélerait à certains, j'en étais convaincu, l'archaïsme de la morphologie humaine, son imperfection artisanale, son goût pour les « petites laideurs inutiles » : boutons de fièvre, petites cancérisations, défauts de proportion.

Mais tout d'abord le regard allait au hasard, pris de panique dans la luminosité poudreuse, indifférenciée et difficile du Bain de vapeur. Il glissait sur des courbes potelées, accrochait la pulpe d'une joue ou d'un nez, effleurait des chevelures encollées, des courbures fulgurantes. Le regard ne s'habituerait que lentement à la pénombre trempée.

Avant que la moiteur aveuglante ne fît pleurer, le regard ne cesserait de fondre, de se diffuser, de s'étaler et de se vautrer comme une huile d'olive lourde et nonchalante.

La sensation d'indolence altérait l'importance et la configuration des volumes, la diversité et la qualité des traits. Tel visage me parut plus beau et tel autre me sembla plus ferme, plus rond, plus enjoué que celui que j'avais vu quelques minutes auparavant dans d'autres périmètres, hexagones, rectangles, triangles et petits coins.

Mais le frémissement qui accompagnait cette sensation — jusqu'aux extrémités sensibles des doigts — acheva de déporter vers le sens du toucher l'énergie inutile dépensée par celui de la vue. Évanouie la volubilité, estompée la dissection visuelle des autres et de mon affreuse silhouette : le chuintement diffus mais bruyant de la vapeur délivrait de tout bavardage ; le brouillard commandait d'autres langages que celui des yeux. Le bruit de cette vapeur me faisait penser à un convive qui parle plus fort que les autres pour leur infliger, en les privant du pouvoir de la parole, la démonstration d'un cours magistral.

Même Helga, si autoritaire en d'autres circonstances, avait pris un air soumis qu'on ne voyait jamais sur elle, un air estudiantin, un air alangui. Avant de la deviner, assise au bord d'un gradin, j'aperçus, non, j'entendis d'abord sa petite main boudinée se mêler à des remous glacés puis jeter au hasard des épaules une gerbe d'eau qui fit pousser à certaines bouches de petits cris brefs. Elle avait posé sa tunique à côté d'elle, comme on le fait d'un bagage encombrant sur un quai de gare, puis elle s'était installée à proximité du grillage d'aération par lequel pénétraient de larges bouffées brumeuses. Ainsi ramassée sur elle-même, la tête penchée en avant et soutenue de chaque côté par les deux accoudoirs de ses deux mains, elle respirait avec une prudence d'automate mal réglé. Ses cheveux étaient collés sur sa nuque et ses joues, telles ces algues marines qui refusent, à marée basse, de quitter le rocher où elles s'étaient amarrées pour jouer avec les aiguilles vineuses des oursins. Ses cheveux luttaient avec des perles de sueur et des filaments humides. Ils semblaient vouloir se fixer sur sa peau comme sur la surface grasse et soufrée d'un savon de Marseille.

Bientôt je perçus mieux son râle de créature fragile emprisonnée sous les lambeaux de sa carapace. L'air huilé de Bain de vapeur gonflait la masse en fusion d'Helga tout en libérant une voix interne qui aspirait à sortir de sa prison flasque. J'entendis Helga s'époumoner et faire un bruit de forge : de sa poitrine saccagée s'échappait une respiration haletante, chargée d'angoisse, d'impatience ou de lassitude. De sa peau émanait une odeur rance de macération — l'odeur âcre des aisselles où fleurait une fragrance d'huile de coco qui donnait envie de mordre dans sa chair comme dans la pulpe du fruit. Et pendant qu'elle tentait de prendre le large bien au-delà d'elle-même, pendant qu'elle faisait entendre des gémissements plaintifs (accompagnés de contorsions), Helga frémissait, mais semblait à la recherche d'une explosion. Vertige, lui, émettait un souffle parfaitement maîtrisé (en cela, semblable aux moteurs qui ne craignent ni un surrégime ni une surchauffe) même si ce contrôle sur soi représentait une volonté farouche de résister à un éventuel éclatement. Exploser, ne pas éclater : entre ces deux pôles, je me sentais pris en sandwich. Je pris conscience de la pauvreté en lipides de ma carcasse mais aussi de son endurance insoupçonnée en milieu défavorable. Là, dans ce brouillard lancé à l'assaut des épidermes comme un acide, je me sentais soudain plus fort que Vertige. Car Vertige était l'un de ces athlètes essoufflés qui ne sortent d'une compétition qu'à genoux ou à plat ventre et n'ont alors plus rien d'athlétique. Leurs muscles brûlants et leurs yeux hagards les réduisent à la condition de pantins inanimés ou de poupées gonflables. Entre lui et Helga on percevait désormais une infime différence, leur nature grossièrement identique ne différant que par la qualité du volume. Vertige, en fait, me faisait penser à ces poupées dodues qui, sous le nom de « Belles », envahissent les chambres des petites filles ; Helga simulait le gros baigneur joufflu avec lequel j'avais peut-être joué dans une haute enfance.

Mon Helga avait ici une nature double : gros garçon à la chair tendre et rose qu'irradiait un sourire enjôleur bien que le garçon laissât apparaître une petite fille au regard triste et au corps difficile, dès que le sourire s'était figé en une ligne droite.

Mon regard croisa à plusieurs reprises le jaune orangé d'yeux de topaze sur lesquels l'air déposait un voile qui en modifiait l'expression. Ainsi telle personne qui, en entrant, avait les yeux bleus, ressemblait bientôt à un lapin aux yeux rouges.

Puis soudain, je ne vis plus personne. Je m'efforçai au contact de la chair que je palpais ou bien qui me frôlait de reconnaître sa provenance. Je n'eus certes jamais de certitudes, seulement de légères sensations — je dis bien

« sensations » et non pas « impressions ». Etait-ce la main d'Helga passant de mes reins aux pectoraux de Vertige ? Ou bien celle de Vertige m'écartant sans façon pour masser les rides cireuses des seins d'Helga ? Quelle bouche faisait entendre un bruit de succion ? Et qui donc cambrait sur mes flancs désossés la pleine lune de ses fesses ?

Évidemment, dans des circonstances de visibilité convenable, de telles questions eussent exigé des réponses immédiates. Mais la vapeur annulant comme par magie le souci que l'on a ordinairement de son intimité — ce terrain triangulaire légèrement rebondi —, il devenait patent que toute notion de territoire intime n'avait plus cours ici ; la gêne que ce mot d'intimité draine naturellement avec lui se muait en une indifférence un peu dolente et satisfaite où la curiosité de soi et des autres avait pris force de loi. Insensiblement Vertige mit son corps à la disposition d'autrui. Sans bouger de son perchoir, il laissa venir à lui des mains, des bouches, des chevelures qui le frôlèrent ou cherchèrent à s'incruster en lui. J'entendis à plusieurs reprises un bruit de déglutition, ou plutôt une sorte de bruit de pompe prolongé et caoutchouteux qui semblait si proche, si chuinté que l'on eût dit de petits clapotements d'eau de mer en train de battre les flancs d'un paquebot. C'est pourquoi le Bain de vapeur était vraiment un « Vapeur », vaisseau fantôme qui errait sur une surface louche avec, à son bord, des contingents d'anatomies contradictoires, des clowns tristes ou des colonnes de maigreur et des outres gonflées : bref, tout le spectre de l'humanité.

La fausse obscurité autorisait des écarts que le jour ne permettra jamais, ou bien réalisait des unions passagères et soulevait des enthousiasmes improbables. On entendit certains rires ou même quelques bons mots, qui, dans ce contexte, avaient l'air de caresses chirurgicales, de ces caresses qui ont besoin d'un peu de crème pour mieux introduire l'instrument de l'examen. Même aujourd'hui je ne veux pas savoir qui, d'une main experte, accrocha mon sexe pour tester ses qualités d'organe préhensile avant de l'introduire dans le volume vertigineux d'une cavité souple. (J'ai cependant ma petite idée sur la provenance de cette main hypervascularisée et hypersensitive : c'était bien sûr Helga l'origine de cet étrange toucher « lipidineux ».)

Il n'était pas compliqué de voir quelle logique le rite du Bain poursuivait : mettre l'anatomie humaine si tragiquement divisée en deux sexes à l'épreuve d'elle-même ; faire en sorte que la confusion entre les genres soit telle que la notion de genre devienne, de facto, caduque. Ce Vapeur complétait le séminaire d'études par une éducation des sens que deux sexes, séparés chacun de leur côté, condamnaient ordinairement à être incomplète.

En ce sens, le Bain devenait le sanctuaire profond du séminaire, comme la fontaine de Salmacis a pu, un jour, servir de mythe fondateur à Hermaphrodite. Cet espace de pierre, d'eau et de sueur, aussi immaculé que les ivoires neufs des boutiques chinoises et aussi impondéré qu'un nuage : tout cela, jusqu'à la présence antinomique d'une vasque d'eau froide au bruit de fontaine, déposait sur les clients un philtre assez puissant pour qu'ils n'aient plus envie de le quitter ; et assez tenace pour qu'ils éprouvent le désir de retrouver le plus tôt possible son parfum de jungle éloigné des humeurs du monde.

Parce que l'abîme secret du Bain avait aux yeux

d'Helga valeur de symbole, il faut s'attarder momentanément sur l'image de Salmacis et le parallèle évident qui existe entre la fontaine et le Vapeur.

La légende de Salmacis était selon Helga « au cœur même de l'imaginaire érotique ». Même confinée aux dimensions mythologiques de la tradition, on retrouvait cette image sous d'autres latitudes, d'autres formes, d'autres conjugaisons. Helga n'avait pas manqué de débusquer ce rêve dans un poème d'Arthur « tout imprégné de la présence de Salmacis ». Et dans *Soleil et Chair*, on lit en effet :

> *— La Source pleure au loin dans une longue extase...*
> *C'est la nymphe qui rêve, un coude sur son vase,*
> *Au beau jeune homme blanc que son onde a pressé.*

En fait, cette légende corrigeait une autre légende. Ne nous avait-on pas dit, sans plus d'explication, que ce monstre aberrant d'Hermaphrodite était le fruit malchanceux de l'union d'Hermès et d'Aphrodite ? L'histoire de la fontaine autorisait à penser qu'Hermaphrodite, avant sa rencontre avec la nymphe, c'est-à-dire avant que celle-ci ne vît ses prières exaucées, était simplement un garçon de quinze ans pourvu de tout son sexe. Mais les légendes mènent à d'autres textes, qui rendent leur sens plus abscons et noient ce dernier dans une profusion de sens possibles où aucun n'apparaît prioritaire par rapport à l'autre.

Helga s'était efforcée de reconstituer la hiérarchie de ce puzzle et nous avait entraînés sur une piste empruntée au *Dictionnaire* de Bayle entre Strabon et Vitruve, avant de bifurquer en direction d'Ovide (au livre IV des *Métamor-*

phoses). Strabon imputait à la fontaine des qualités d'efféminement. Ovide supposait qu'il fallait s'y baigner — ou bien boire de son eau — pour subir cette soudaine effémination. Vitruve, plus philosophe, voyait dans ce défaut une qualité et aussi une moralité. Située en Asie Mineure, à Halicarnasse, en Carie, la fontaine aurait été visitée par des Barbares qui trouvèrent là le moyen d'adoucir leurs mœurs et de se civiliser au contact des Grecs. Cet amendement à l'histoire n'annulait aucunement le pouvoir corporel et sexuel de la fontaine.

Entre alors en scène une nymphe, sublime créature aux rondeurs splendides et enchaînée à sa pièce d'eau comme un galérien à son boulet : mi-sirène, mi-déesse ou, plus vraisemblablement, péripatéticienne habile qui savait philosopher et aller à l'aventure avec une démarche chaloupée. Mais que dit sur ce point Ovide qui reste notre source principale ? Plusieurs choses. Apercevant le jeune corps d'Hermaphrodite sur les bords de sa mer interdite, la nymphe Salmacis vient à sa rencontre dans un état de surexcitation. Son impatience à jouir de son corps la pousse « à se farder », nous dit-on. Puis elle demande à Hermaphrodite de l'épouser sur-le-champ, sans faire de manière. Le garçon rougit. (Mettez-vous à sa place !) Elle veut lui sauter au cou. Il lui demande de n'en rien faire sinon il prendra la fuite. Mais elle revient à la charge après avoir fait un crochet derrière un buisson de broussailles. Ayant enfin ôté tous ses voiles elle plonge dans l'eau, se saisit d'Hermaphrodite qui nageait tranquillement, l'embrasse contre son gré, le caresse et le serre si fort qu'il ne peut se dégager : « Mais c'est tout ce qu'elle en eut ; il persista dans sa froideur », ajoute Bayle, qui simplifie Ovide. Ce qui arrive ensuite se devine aisément : Salmacis demande aux dieux de souder son corps à celui de sa luxueuse acquisition. Hélas, cette grâce lui est accordée.

Dans le récit de cette légende on voit tout de suite que le gêneur n'est pas celui que l'on croit : ce n'est pas Hermaphrodite, pauvre enfant ! Mais Salmacis la nymphe, dont on ne nous dit jamais si elle est désirable et qu'on finit par trouver indélicate de se livrer ainsi au viol d'Hermaphrodite sans craindre d'avoir à perdre son visage de femme dans le visage d'un homme. Ce pouvoir désespéré de Salmacis agissait-il sur Helga ? La tristesse qui naissait du refus d'Hermaphrodite d'accéder à ses avances paraissait à Helga une coquetterie absurde et ridicule, non la marque d'un choix volontaire.

Helga trouverait mille commentaires à une légende qu'elle estimait tout à la fois fascinante et révoltante ; fascinante car elle démontrait le côté unilatéral et aveugle de la passion (a-t-on jamais vu deux feux brûler ensemble au même degré ?) ; révoltante, enfin, car l'idée d'une résistance à la passion amoureuse passait pour suspecte. Et puis — ce n'était pas le moindre des paradoxes — si l'hermaphrodisme désignait un coupable (le mâle passif), la légende insistait sur la duplicité lascive, le satyriasis de la pauvre nymphe aveuglée par les charmes immatures et naïfs d'une jeune beauté masculine. Or qu'avait donc Hermaphrodite pour être beau ? Était-il Ange par refus d'être Bête ? Ou bien était-ce que, d'après les Grecs, la véritable beauté doit être passive, douce, vague et mélancolique ?

Mais laissons cette légende tranquille et revenons sur terre. J'étais loin de ressembler à Hermaphrodite, je n'avais plus quinze ans et je n'étais pas « le paranymphe

180

d'une nymphe macabre ». Pourtant je souhaitais sans doute posséder comme elle un corps différent et — coupable aveu — il m'arrivait fréquemment de penser qu'il était possible d'échanger l'architecture tubulaire de mon être rabougri contre les nobles courbes d'un embonpoint notable. Oui, je caressais l'espoir d'une métamorphose et j'avais d'infinis désirs de greffes de peau et de muscles. Je rêvais aussi d'un œil bleu à la place du regard verdâtre qui n'attirait rien à lui ; d'une fine sculpture qui puisse venir à bout de mon imitation de ventre. En se calant ainsi sur mes rêves, Helga m'offrait la panse argentée de la lune ; elle m'apportait enfin le manteau de chaleur (et la toge narcissique et virile) dont j'avais besoin.

Un fluide lacté passa entre elle et moi : comme l'impression qu'on pouvait temporairement réunir des contraires et en faire la base d'une complicité absolue et définitive.

La Fête du Corps s'acheva dans les brouillards fragiles de l'aube ; je savais que je ne pourrais plus quitter Helga mais également que je ne pourrais pas entrer complètement dans sa vie ; nous serions deux êtres collés l'un à l'autre qui chercheraient dans des moments d'angoisse à reprendre chacun leur liberté. Nous aurions en effet cette fidélité des êtres qui s'aiment et pourtant ne peuvent pas s'aimer, parce qu'un inconvénient ou une réticence les en empêchent : sentiments ambigus, s'il est vrai que l'amour réclame des chaînes qui, avec le temps, finissent par se briser, en dépit des meilleurs volontés — ne serait-ce que pour rappeler qu'il est vain, artificiel, autrement dit superficiel, de vouloir accoupler à tout prix deux solitudes. La nature animale offre d'ailleurs bien peu de ces couples stables que l'on mariait autrefois dans les églises. Cependant, quel inconscient irait proposer une réponse animale à une question humaine sans risquer de s'attirer tous les ennuis du monde ? Disons, enfin, pour clore ce chapitre, que la relation de maître à disciple qu'avait instauré entre nous l'enseignement de l'université (et de ses annexes, au rang desquels il fallait compter L'Aphrodisiaque et le Bain), venait de se transformer, grâce à un contact furtif et liquide de quelques instants, en un rapport synchrone, métronomique et tendre où l'un devenait l'esclave de l'autre et inversement. Mais si l'on veut une image forte (et donc, nécessairement injuste), on la trouvera dans un miroir, dans mon union intime avec Helga, où un continent de chair molle contemplait béatement le spectacle d'une grande famine.

IV

L'ÎLE

Ainsi, tout ne serait que maquillages et mensonges. Car nous sommes, au fond, semblables à ces squelettes qui passent leur temps à camoufler leur misère, à s'envelopper de voiles et d'épaisseurs diverses, à dissimuler l'horreur qu'ils ont d'eux-mêmes. Sait-on pourquoi les petites cellules que nous représentons — si infimes, si ridicules et si ténues au vu des possibilités de l'espace — cherchent un jour à s'agréger et à s'accrocher l'une à l'autre, navires en perdition voguant, pleins d'ennui, sur une mer immense et caressant l'utopie d'un écueil, d'un récif, d'épousailles avec l'éperon d'une île ?

Étais-je amoureux d'Helga ? Non, si l'on s'en tient au sens trop strict qu'a pu avoir, dans le passé, cet idiome. Pourtant, après mon installation à la Villa des Verseaux, il devenait évident que ni Helga ni moi ne pouvions nous absenter l'un de l'autre. Une nécessité s'installa, bousculant au passage la relation molle et coutumière que Marc et Helga entretenaient. Nous décidâmes, oui, nous décidâmes qu'une véritable relation de complicité ne peut pas être fondée sur une chose aussi charismatique et impériale, aussi ridicule et incomplète que le sexe. Tous les gens qui prétendent le contraire et profitent généralement d'un instant d'égarement pour propulser cette activité au rang de lien de fidélité sont des imposteurs, tels ces couples que l'on voit marcher main dans la main, un air de béatitude ou de sainteté molle sur les lèvres, et prêts à insulter ce qu'il y a de plus solitaire et de courageux dans la race humaine avec le simple aveu de leur étreinte.

Au reste, pour Helga, la réalisation des passions, dépassant par nature le cadre limité du chiffre deux, devait trouver place dans des lieux communautaires. Le Bain de L'Aphrodisiaque avait justement été créé pour assouvir toutes les tyrannies corporelles et glandulaires. Mais les motifs de complicité varient à l'infini, je l'admets volontiers. Car si j'étais vis-à-vis d'Helga une sorte de miroir concave creusant en elle une géographie émotive semblable à celle que se communiquent entre eux de faux jumeaux, Marc, lui, avait noué avec Helga une complicité d'un autre ordre, où les dissemblances avaient pour fonction essentielle de s'enrichir. Sans Marc, les projets aériens d'Helga n'auraient sans doute jamais vu le jour aussi concrètement : ni la Villa des Verseaux, ni L'Aphrodisiaque, ni le Bain, ni même la Fête du Corps, ni plus tard le voyage sur l'île. Marc possédait en effet une garnison d'ambition et d'organisation qui faisait défaut à Helga dès lors qu'il fallait réaliser les rêves qu'elle avait couchés sur le papier ou fait flotter en paroles. Je finis par me dire que mon rôle modeste fut d'être le répétiteur ou le gentil accompagnateur qui suit chaque pas du génie dont il s'occupe.

Mais suivre Helga jusque dans ses rêves était ambigu. D'être son étudiant et aussi son ami conférait à notre lien une parenté quasi incestueuse. Suppose-t-on qu'il soit simple pour le disciple d'apostropher son maître, voire d'épier, dans l'intimité, son travail intellectuel, ou parfois de rivaliser avec lui par le biais de questions et d'interrogations de toutes natures ?

Certes, Helga avait besoin, pour faire fonctionner à plein régime son crâne, de la présence de sa petite « académie », comme elle l'appelait. Sans le savoir, je devins peu à peu le récipiendaire de ce petit cercle tandis que Marc en demeurait le secrétaire permanent, ou « le ministre de la main gauche », avait dit, une fois, Mirage, l'élégant prophète de sa revue élégante. Mirage avait tendance à prendre les gens qui entouraient Helga pour des filtres inutiles, des plantes épiphytes, des obstacles, des intermédiaires. Son insistance à vouloir conférer au sommet avec le patron — s'il avait une idée d'article dont il voulait débattre — se heurtait la plupart du temps à un manque d'enthousiasme tel de la tribu qu'il repartait souvent bredouille. Or Helga avait besoin d'un entourage enthousiaste — donc d'un Hugo aérien, d'un Marc despotique ou d'une Lola provocatrice — pour être en mesure de communiquer l'élan généreux qu'on venait chercher auprès d'elle.

En peu de temps Helga avait acquis une célébrité d'astre. On parla de « son sensualisme » et de « ses lieux expérimentaux ». Certains magazines féministes vinrent faire un reportage à la Villa. (Sur chacune des photos on voyait une Helga plantureuse et volontaire dominer la petite troupe qui l'accompagnait et dans laquelle ma pâleur d'ombre figurait.) D'autres journaux, plus conservateurs, l'accusèrent de « débaucher la jeunesse ». (Quelle absurdité ! Ce fut exactement l'inverse !) et puis

185

de faire du prosélytisme pour des activités hédonistiques coupables. D'après cette presse, le cours d'Helga était l'objet d'événements scandaleux : quelques étudiants « spontanés » faisaient des apparitions sauvages, entièrement nus, afin de se livrer à des démonstrations de masturbation publique. Moi, le fidèle le plus zélé de ce cours, tiens à témoigner ici du caractère mensonger d'une telle accusation qui ne reposait, en fait, que sur les menaces verbales d'un étudiant infiltré, sorte de renégat ou d'agent double puisqu'il était partisan du plus mortel ennemi d'Helga : Stromboli, le volcan venimeux.

La réputation bruyante faite autour d'elle contraignait Helga à se replier sur une collectivité restreinte. Il faut reconnaître qu'avec les alliances qu'il autorisa ou même encouragea, Marc fut, à ce niveau, un remarquable organisateur. Mais d'avoir à gérer la partie publique du génie créateur d'Helga poussa Marc à croire qu'il pouvait se l'approprier temporairement — c'est-à-dire à avoir l'illusion de son appropriation — et il se soucia tant et tant de l'être spirituel d'Helga qu'il finit par en oublier l'être physique. C'est à ce moment-là que j'entre vraiment en scène, dans le rôle de faux amant, sans chercher à usurper la fonction de premier compagnon occupée par Marc.

« Peut-on être amants sans coucher ensemble ? C'est bien la question que tu me poses, hein ? » me demandait Helga, maintenant roulée en boule sur le canapé de son bureau, comme un gros fœtus inquiet.

— Non... enfin, oui... nous avons des liens curieux, dis-je... Comment qualifier nos rapports ?

— Je ne sais pas, répondit Helga avec un rire de poitrine avant d'ajouter : et puis, est-ce nécessaire de leur donner un nom ? Voilà bien la grande maladie : trouver un nom aux choses afin de les légitimer. C'est assommant. »

Nous avions développé un art de la conversation qui nécessitait plusieurs heures de suite pour prendre sa vitesse de croisière. C'était dans le salon, le bureau ou la chambre d'Helga, selon les circonstances. Mais c'était toujours l'après-midi, lorsque nous revenions de la faculté ou de la Bibliothèque — ou bien en plein milieu de la nuit, à une heure trop avancée, quand nous nous amusions, avec des voix de bière ou de whisky, à traquer l'extinction de la lune et celle des millions d'étoiles qui trouaient le ciel comme des clous de tapissier. Nos conversations avaient une prédilection pour les atmosphères nocturnes. Enfin, nous avions constamment recours à ce lexique animalier grâce auquel on instaure entre soi et les autres un code hypocoristique : « Mon gros chat, mon lapin, mon minou, mon canard, mon petit fauve, ma panthère. » Toute une jungle et même une savane se croisaient sur nos lèvres. Il est certain que la persane exerça à domicile une influence dans l'extension de ce vocable de « poulets » et développa en nous des manières de chat : le sens du luxe, du confort, de la rouerie espiègle, de l'intelligence furtive. Parfois je me surprenais à miauler sans raison ma joie et Helga répondait par un râle idoine. C'était autant de dévotion avouée pour la race féline que d'irrespect pour une race humaine qui nous avait bien peu gâtés à la naissance. Plus je médite sur mon appartenance au genre humain et plus je voudrais être un chat égyptien. On m'aurait fait cadeau d'une momie, voire d'une pyramide. Mais de même qu'un matou boulimique (ou famélique) trouve en lui assez de grâce et d'élégance pour dissimuler la gêne que lui cause sa démarche, nous trouvâmes, Helga et moi, le moyen de contourner nos défauts et d'en faire l'argument d'une conviction nouvelle.

Grâce à Son Émouvance Lola, nous découvrîmes toutes les ressources qu'offrait l'art du vêtement. Des robes déstructurées, amples et libérées de tout corsetage donnèrent à Helga l'air hautain d'une diva ; des tissus de mousseline blanche, des soies satinées, des cotonnades et des lainages remplacèrent le vieux pantalon de survêtement qui lui moulait le ventre comme le petit bonhomme Michelin. Des jeans plus serrés — ou bien des pantalons bouffants —, des cheveux courts, des chemises et des vestes bien ajustées sur mon buste frêle contribuèrent à redresser mon allure filiforme. Dès mon installation à la Villa, en fait, je dépensai beaucoup d'énergie à courir de boutique en boutique dans notre quartier de tissus, entraînant à ma suite une Helga un peu lâche et timide, pour choisir entre cent qualités de tulle et de coton celles qui lui conviendraient le mieux. Et pendant qu'elle développait en moi un goût immodéré pour certaine science livresque, je ne cessais d'insuffler en elle une passion pour la mode et le style. Nous imposerions bientôt à tous les visiteurs de la Villa le port obligatoire d'une djellaba. (Une cinquantaine de coloris les attendait au tournant de l'entrée où, dans l'intimité lascive d'un placard, avaient été suspendues à des cintres toutes les pièces de cette collection.)

Par esprit de contradiction nous encouragions le culte de l'art « bourgeois » que nous avions passé notre temps à décrier à l'université. On nous vit dans des cocktails, à l'Opéra, dans des concerts de musique dodécaphonique, dans les expositions de peinture. En revanche jamais on ne put nous surprendre dans un happening de faculté à l'initiative duquel nous n'avions pas été associés de près ou de loin.

« Notre mode de vie doit s'ériger en contre-pouvoir », proclamait toujours Helga.

Jusqu'à un certain point, cela fut vrai. Nous avons déjà vu comment. La vie construite et recherchée par Helga trouvait ses ramifications profondes et ses raisons d'être dans l'absence de racines. Dans un autre roman, on s'attarderait sans doute sur des données biographiques (comme si les personnages étaient soumis au contrôle d'identité !) et l'on chercherait sûrement, dans un souci de vérisme littéraire, à relater le mobile précis du crime dont Helga vient d'être accusée. Disons simplement, pour abréger le dada de ces « data », qu'Helga était issue d'une famille de juifs polonais pris de court par l'Histoire et dont elle se souvenait à peine, après des déménagements successifs en Allemagne, en France et en Angleterre. Pour sa part, Helga avait atterri dans une famille d'adoption située au sud de Rennes, en Bretagne. Voilà. « Je suis un melting-pot à moi toute seule », dirait-elle sur un ton de révolte, un jour qu'on lui prêtait des propos trop hexagonaux. Car Helga ne supportait pas d'être prise en défaut de cosmopolitisme.

Son monde intérieur ne se reconnaîtrait jamais de frontières précises. Faut-il l'en blâmer ? Et ce monde était à l'image de l'inlassable dérive des continents, lorsque ceux-ci se rapprochent ou s'éloignent l'un de l'autre, par une série de mouvements infimes des plaques tectoniques

qui, en bougeant, provoquent nos prosaïques tremblements de terre. De même que les véritables exils ne
connaissent pas de fin, la position géographique occupée
par Helga lui semblait nomadique, transitoire et flottante. L'idée d'une communauté, avec le temps, s'était
substituée au destin de la diaspora mais cette communauté, à son tour, subirait des transformations ou des
amalgames pour ne plus représenter qu'une famille
bâtarde — mais les bâtards ne valent-ils pas mieux que
tous les chiens de race ?

« La Villa c'est un peu le radeau de la *Méduse*, faisait
remarquer Helga, alors que le ciel, au-dehors, attirait vers
lui, comme une ventouse, l'air qu'elle vient d'emprison-
ner, les dernières traînées de lumière qui avaient rebondi
sur les plantes de la verrière avant de disparaître au hasard
d'une peau d'encre, au milieu des premières échardes
argentées de quelques étoiles.

— Qu'est-ce que tu veux dire ?

— Eh bien, nous composons tout de même une drôle
de tribu. Mais c'est peut-être ça les familles de demain,
assurait Helga. La famille nucléaire est le plus grand
mensonge du monde...

— Oui, mais on n'a pas encore inventé mieux, dis-je,
me faisant l'avocat du diable.

— Ça c'est moins sûr. Nous avons plus d'avenir
qu'eux. J'en suis certaine. »

Cette assurance d'Helga ne tournait jamais en arrogance — même si d'aucuns virent en elle une forme
d'aveuglement comme on en voit chez les mystiques.

« Je vois même une raison supplémentaire de penser
que les Villas des Verseaux vont se multiplier.

— Laquelle ?

190

— C'est que la vie est en train de devenir une forme de culture. Tout le monde souhaite une vie différente de celle du voisin... »

Helga continua à dialoguer avec moi pendant quelques heures, adoptant le ton prophétique des sorciers africains, l'attitude réservée des sages bouddhistes et l'air ironique, presque lointain des dandys. Elle eut recours, dans ses démonstrations, aux joies de l'encyclopédie ; elle brassa des domaines entiers d'érudition que renforçaient des témoignages puisés dans l'expérience ; elle s'enfonça dans les eaux profondes d'un fleuve impossible et utopique pendant que des joints de haschisch servaient de combustible à ce conseil de guerre.

Mais ni la Villa, ni le Bain, ni nos multiples cafés ne purent, à eux seuls, satisfaire l'insatiable appétit de rêves communautaires qui, sitôt installés dans une région récemment acquise, avaient besoin, pour s'exercer pleinement, d'une nouvelle terre à peine défrichée. Garder une longueur d'avance, à la façon de ces coureurs de fond qui maintiennent tout le temps que dure la course l'écart les séparant du peloton de queue, devenait, dans l'esprit d'avant-garde que cultivait Helga, une notion aussi prioritaire, aussi stimulante et fertile que les idées qui seraient mises en œuvre pour élaborer le futur menu.

Helga rêva d'une île. Elle rêva aussi d'une tribu échouée sur une île et ce rêve se concrétisa au moment précis où elle semblait de plus en plus mal en point. Elle avait commencé par perdre du poids dans les mois qui avaient suivi l'inauguration du Bain et bien sûr, Helga avait eu tendance à attribuer des vertus excessives au bain de vapeur et à croire que, de loin en loin, son corps répondait aux stimuli de cette discipline de sauna. Elle y croyait d'autant plus que cette période coïncidait avec une conversion spectaculaire à toutes sortes de régimes diététiques ; ces derniers, pourtant, n'avaient guère eu d'effet sur son adipose foncière.

Bien avant notre rencontre, elle avait essayé de traiter son obésité comme une banale pathologie en lui imposant la loi austère des cures et des traitements « hypo », sans jamais obtenir de résultat convaincant. Avait-elle perdu quinze bonnes livres (Helga prenait plaisir à compter son poids avec l'ancien système de mesure) qu'elle les avait reprises (en y additionnant deux ou trois supplémentaires) quelques mois après l'interruption de son « programme ». Elle avait vraiment tout tenté, en s'astreignant à partager des croyances ou des pratiques qui pourtant lui semblaient ridicules. Ainsi avait-elle été membre d'un groupe de « weight-watchers » où l'on pratiquait l'autopunition et l'autoculpabilité, chaque gramme perdu ou gagné étant soumis à l'analyse collective, ou bien à une recherche des causes et des effets : l'espionnage consenti de sa propre masse tissulaire était en effet accompagné de sa valorisation collective. Ainsi Helga avait-elle arboré un badge (« Proud to be fat ! ») puis rencontré d'autres personnes obèses — qu'elle avait pris soin de choisir plus grosses qu'elle ; elle avait revendiqué avec son groupe la réhabilitation du tissu graisseux si longtemps déconsidéré, si longtemps pris pour une peau inerte et inutile et à qui l'on ne trouvait comme origine que la traditionnelle hyperphagie de nos grand-mères ; cette peau, qu'un chirurgien malveillant avait un jour comparée à « un garde-manger » !

Helga avait connu le temps des cures thermales, les tuyaux d'arrosage qui l'exposaient à la lubricité d'un masseur avant de la projeter contre le carrelage aveuglant du box affecté à cet usage, et puis les verres d'eau acide et terreuse, ingurgités tous les quarts d'heure, les jeûnes complets de deux jours (suivis le lendemain d'un repas composé d'un yaourt maigre et d'un pamplemousse juteux) ; enfin les séances de thérapie orale où l'on criait sa honte, sa colère, sa joie ou son horreur d'être obèse.

Ayant expérimenté toutes sortes de régimes hyposodés et de recettes miracles, ayant ensuite appliqué sur la surface incriminée de son corps des émollients parfumés de senteurs d'avocat, des masques d'argile verte, des emplâtres de rassoul et de feuilles de lotus, Helga s'était un jour décidée à mettre de côté l'aspect cosmétique et diététique de son problème, car elle ne savait plus, au fond, si elle était l'objet d'une « obésité de chagrin » ou d'une « obésité de jouissance » ; en d'autres termes, elle hésitait entre la joie de se savoir grosse et l'envie insatisfaite d'être maigre. Mais en fait, l'idée qu'elle se faisait de son excroissance adipeuse devint abstraite. Souffrait-elle d'une obésité hyperorexique ou bien hypophysaire ? Etait-ce un facteur d'hérédité ? Son père, dans ses souvenirs d'enfance, lui avait toujours paru immensément corpulent. Son obésité était-elle liée à une « fixation orale » ? (Quel langage !) Ou bien à un hypogonadisme primaire ? Dans quelle prédisposition s'était-elle abritée ? Aucune réponse à ces questions d'amphithéâtre : Helga préférait de loin être un mystère plutôt qu'un problème d'échecs résolu. Elle ne s'intéressait donc pas à la généalogie de son être. Et elle chercherait d'autres compensations que la mémoire explicative qu'on lui proposait. Elle rêvait d'être amnésique, comme j'ai pu en faire l'expérience, dans les premières années de mon rachitisme précoce, lorsque j'avais si honte de ma maigreur que je refusais d'aller à la piscine avec les autres. Et comme elle, j'ai connu la fable lancinante de « l'excès » d'une chose rendu coupable d'une insuffisance ou bien le manque de cette même chose donné comme explication d'une « excroissance ». Or, comment un être doué de raison pourrait-il se satisfaire d'un scénario aussi cauchemardesque ? Lorsque la science n'a rien d'autre à faire que de discerner des règles dans la masse des phénomènes, lorsqu'elle ne peut que disséquer des causes et non corriger des effets, l'instinct de survie de la personne qui s'est livrée complaisamment à son examen la pousse à se porter ailleurs, en dehors de tout champ d'étude.

L'amaigrissement spectaculaire d'Helga qui lui fit perdre vingt kilos en moins de deux mois l'avait rendu encore plus sceptique à l'égard des tentatives passées. Au départ elle eut tendance à mettre sa nouvelle silhouette sur le compte du hasard. Mais très vite elle fut agacée par les remarques incessantes que ne manquaient pas de lui faire certaines personnes qui, cumulant toutes les impolitesses, allaient jusqu'à dire : « Mais dis-donc, tu as vachement maigri ! » Ce « vachement maigri » inscrivit sa blessure profonde en elle.

Par un effet de miroir, cette perte de poids réfléchissait un état antérieur qui lui parut être son véritable statut de base, sa borne kilométrique. Elle essaya de prendre les choses avec du recul, tandis qu'elle réadoptait des conceptions culinaires normales : les tchatchoukas aux œufs brouillés, les travers de porc grillés à la citronnelle et les petites boîtes de bière, et cela en espérant que son nouvel état n'était que temporaire. Mais rien n'y fit. Elle ne reprenait aucun poids. Elle n'en reprendrait plus. Elle continuerait même d'en perdre.

La situation dans laquelle elle se trouvait désormais était à plus d'un titre paradoxale et venait rappeler, pour qui l'eût oublié, que les promesses les plus solides sont toujours infidèles. Elle avait voulu maigrir. Maintenant qu'elle maigrissait sans pouvoir contrôler le niveau de son amaigrissement, elle était partagée entre le désir de se voir franchement plus mince (ou au contraire semblable à ce qu'elle avait toujours été) et puis l'angoisse de ne jamais obtenir le corps qu'elle aurait aimé avoir. Alors les techniques corporelles qui faisaient merveille sur Vertige ne pouvaient rien pour elle ? Helga avait décelé dans son poids encombrant le signe d'une faiblesse et dans son désir de minceur la marque d'une volonté. Mais sa perte régulière de poids deviendrait à ses yeux une absence totale de liberté, une sorte de tyrannie s'exerçant sur elle, contre son gré, une méchanceté sourde et vorace, une impossibilité d'être.

Helga était en train de vérifier dans son corps la fausseté cruelle et imbécile du proverbe : « Qui veut peut. » Cette volonté manifestée contre elle échappait complètement à son contrôle nerveux. Helga avait long-temps vu dans la volonté une chose que l'on agite en soi, que l'on convoque puis que l'on regarde agir. En poussant la logique à son terme, la seule volonté possible, la seule volonté clairement réalisable est celle qui, visant une transformation radicale de soi-même, nous permet de mettre fin à nos jours. Se tuer, étrangement, pourrait paraître l'unique moyen de conserver une liberté extrême sur son propre corps. Mais ce qui, dans l'immédiat, préoccupait Helga, c'était cette évidence : le corps a des raisons que la raison ignorera toujours.

L' « âme » (mot démodé à une époque trop matérielle et qui n'a retrouvé ses facultés que depuis que son remplaçant moderne a donné des signes de fatigue — parce qu'il soigne moins qu'il n'aggrave les maux ou semble moins spirituel qu'il ne le promettait), l'âme dont était dotée Helga cessait à ses yeux d'exercer la moindre influence sur son corps, non pas qu'elle eût besoin d'en avoir la preuve : le fait que l'idée même de l' « âme » lui avait toujours semblé monstrueuse était suffisant.

On la vit s'enfermer des heures de plus en plus longues dans son bureau-bibliothèque, on l'entendit fouiller dans une masse de plans, de dossiers, d'archives et de cartes ; sa machine à écrire se mit à faire un bruit d'enfer : Helga associa l'idée de la maladie au plaisir morbide de l'écriture. Voilà qui paraîtra bien étrange aux amateurs de contes de fée, ce sentiment qu'une chose écrite représente une petite agonie et qu'elle est le signe d'un événement aussi difficilement acquis que vite perdu. Oui, Helga adopta vis-à-vis de sa maladie l'attitude que l'écrivain véritable généralement prend avec son livre. Ainsi évitat-elle d'en parler lorsqu'elle devina qu'elle était malade. Dans un premier temps elle chercha à éviter toute confrontation avec l'ordre de la médecine. N'avait-elle pas ses plantes, ses vitamines, toute une pharmacopée dont elle savait disposer avec autant de précision qu'un médecin plongé dans son Vidal à la recherche d'un médicament rare qui, seul, peut guérir son client — avec autant d'amour que le commerçant du bazar qui fouille ses coffres pour dénicher la plus belle étoffe que lui réclame sa plus fidèle amie ?

Pierre poussait Helga à consulter un médecin. Elle refusa, invoquant de nombreux prétextes sur un mode sarcastique : « Si je vais les voir, ils vont trouver que je me porte dix fois mieux qu'avant. Normal, dans mon cas, quand on maigrit, tout le monde se réjouit. » Helga repoussa toute idée d'examen ou d'analyse après le voyage sur l'île, n'acceptant de Pierre que des potions de confort, notamment pour calmer ses terribles diarrhées.

À l'entrée du 2 mai, dans son Journal, Helga a écrit cette phrase que je viens de relire : « Il me tarde d'achever mon travail sur *Utopia*. Toute ma vie conspire pour m'empêcher de le faire. C'est pourtant la seule chose en laquelle je crois. Je ne peux plus supporter l'écume vers quoi tendent tous les articles ou les livres que je lis en ce moment... »

Tel était donc l'esprit de résolution qui animait Helga. Les raisons qui la poussaient à écrire sont assez claires maintenant que l'on a perçu qu'elle avait entrepris de méditer sur elle-même et sur son expérience. Pour Helga écrire était une activité aussi essentielle — plus essentielle même — qu'un besoin naturel. Car écrire est une façon de refuser ce qu'on dit de nous, ce qu'on pense de nous, ce qu'on imagine de nous. Et si, dans cet orgueil vital, vient se loger le désir atroce de laisser une trace derrière soi, comme la pyramide construite pour la vie du pharaon après sa mort terrestre, on oublie le fait majeur : c'est qu'en ne disant pas ce que l'on endure dans la vie ou ce qui fait mal, en trouvant donc refuge dans un lieu totalement inventé, on peut enfin raconter une autre vie que la sienne : n'est-ce pas le seul rêve avouable d'un livre ? Car il ne faut jamais oublier qu'une vie singulière n'est en soi jamais assez intéressante pour devenir à elle seule un livre : en être conscient ne peut conduire qu'à l'exigence difficile d'une vie imaginaire, comme venue d'un autre monde.

Perdue dans sa fiction érudite, au point de ne plus se reconnaître, Helga savait d'instinct qu'elle retrouverait une respiration plus normale. L'image qu'elle avait de l'écrivain était à peu près celle-ci : allongé dans un lit, en train de prendre des notes dans un carnet, attendant — sans se faire d'illusions — qu'on lui amène un plateau-repas et qu'on satisfasse ses besoins vitaux, comme une mère le ferait de son bébé (l'écrivain est un enfant, mais oui, nous le savons ; il n'empêche que l'on va recueillir ses oracles avec sérieux et componction alors qu'il ne viendrait à l'idée de quiconque de prendre soudain en compte le balbutiement d'un blanc-bec). Dans cette image idéale de l'écrivain il faut imaginer que ce dernier est victime d'une longue grippe et qu'il est contraint de garder la position fragile, incertaine et fatale des convalescences qui n'en finissent pas.

Oh, certes il est louable de vouloir percer, par un art sublimatoire, les mystères qui nous échappent. Tous les moyens sont bons. Mais les mystères, souvent, hélas, gardent leurs mystères. Sont-ils durables, on les croit éphémères. Sont-ils fugaces, on les pense éternels. Très vite, s'installe en nous une partie infernale de cache-cache. Voilà pourquoi des questions obsédantes (suis-je maigre comme un clou ? Helga est-elle vraiment une grosse truie ?) ont motivé le repli sur soi effectué par

Helga et par moi, qui ne sais toujours rien du puzzle que ma personne incarne.

Dans ses velléités d'écriture Helga faisait penser au général qui doit rassembler en un minimum de temps des troupes désorganisées. Certaines phrases, volées au hasard de ses lectures et consignées sur des « birdies » de papier jaune, égrènent leur mosaïque sur un brouillon inachevé ou bien sur la peau translucide d'un abat-jour. Chez Montaigne, « l'auteur fondamental », elle a relevé, à propos de beauté : « Elle tient le premier rang au commerce des hommes. » « Premier » est souligné deux fois. Toujours chez l'auteur des *Essais,* cette citation, écrite en lettres capitales : « Il y a des formes métisses et ambiguës entre l'humaine nature et la brutale. Il y a des contrées où les hommes naissent sans teste ; où ils sont tous androgynes... et des nations qui rendent le sperme de couleur noire. »

Enfin, notant que Montaigne s'étonnait de l'existence d'une enclave utopique, Helga a noté ceci : « Ils avaient une vie à part, les façons, les vêtements et les mœurs à part. » (« À part », souligné deux fois.) Et sur de multiples feuillets entassés dans des chemises de couleur dorment encore des extraits de récits insulaires, des contes merveilleux, des traités d'astronomie. Jacques Sadeur, auteur d'un *Nouveau Voyage sur la Terre australe* (1692) revient plusieurs fois sous la plume d'Helga. Étrange récit d'utopie qui commence par une tempête et s'achève sur « une espèce d'isle à fleur d'eau qui se trouva flottante ». Cette île, semblable au dos molletonné d'une baleine, est peuplée d'êtres étranges : « Tous les Australiens ont les deux sexes et s'il arrive qu'un enfant naisse avec un seul, ils l'étouffent comme un monstre... ils vivent sans ressentir aucune de ces ardeurs animales les uns pour les autres... ils n'en peuvent même entendre parler sans horreur... leur amour n'a rien de charnel ni de brutal... ils se suffisent à eux-mêmes... leur chair est d'une couleur qui tire plus sur le rouge que sur le vermeil... »

Toutes ces phrases ont fait rêver Helga. Et si rêver c'est faire le tour du monde, de même qu'un vrai roman doit se lire et s'écrire comme un rêve, alors j'ai tendance à penser qu'Helga cherchait dans la vie — et sur notre île — les répliques des sauvages qu'elle avait rencontrés dans tous ces textes d'or et de poussière.

Si Helga prit des distances qu'elle n'avait pas eues quelques mois plus tôt, c'est parce qu'elle savait qu'écrire implique de voler du temps aux gens que l'on aime, en leur refusant, au nom d'un idéal de pacotille et d'impression, l'empire d'une passion partagée. Étrange posture, qui évoque Vulcain assis sur un cratère de sentiments et le couvercle cadenassé d'une marmite sous pression — mais qui est peut-être plus fertile en émotions, plus riche en surprises, donc, plus inventive, que la vie elle-même. Du jour où elle se sentit moins disponible, Helga installa entre elle et les autres des rapports fictifs ou, si l'on veut, une fiction vint combler le gouffre béant de ses relations privilégiées.

Avec tout le monde, elle poursuivrait un but qui resterait incompris de ses interlocuteurs, elle serait toujours « autre part », dans une conversation intérieure se superposant à celle qu'elle avait engagée, et comme à mi-chemin des différents niveaux qui la séparaient naturellement des gens ; il arrive en effet que nous ne soyons aux yeux des autres que des contours vagues, des formes troubles, de petites silhouettes neigeuses animées de trépidations internes que la gifle d'un vent sec suffirait à anéantir ; et dans cette hypothèse d'une disparition complète de notre apparence, alors que nous nous acharnons à croire faussement à notre présence, il n'est pas rare que l'aveuglement réciproque qui en résulte ne soit qu'une simple manifestation de défense, un jeu de cache-cache, une boîte à surprises, un œuf de Fabergé, un numéro de magie. Rien de plus faux que de proposer des relations d'intimité au didactisme général qu'impose toute réunion sociable ou mondaine. Helga n'avait-elle pas constitué la tribu des Verseaux dans le seul espoir que les conversations communautaires seraient un jour abrégées ? Souhaitait-elle autre chose qu'une vaste présence silencieuse ? (selon le principe que l'amour finit dans le meilleur des cas en amitié ; que l'amitié n'a besoin, pour survivre, que d'un spectre d'affinités mutuelles et que sa poésie est rythmée par le silence et la discrétion — climat idéal pour l'écrivain ou l'artiste que l'austérité d'une cellule trop monacale ne peut entièrement séduire).

Un jour, pourtant, Helga sortit de cette retraite abusive qui compensait en confort fœtal et douillet ce qu'elle avait perdu en rotondité, répondant aussi à un amaigrissement involontaire par une volonté d'enfermement. Donc, un beau jour de printemps, Helga profite d'un repas collectif pris sous la verrière pour annoncer sur un air de fanfare :

« Je sais où nous pourrions aller cet été... J'ai trouvé une île !

— Quelle île ? interrogeait Marc.

— L'île », répondit Helga avec un air songeur, fluide et rose comme un sourire d'enfant.

Et dans l'intervalle de ces quelques secondes où tout le monde attendait avec anxiété de logiques explications, le soleil fit son apparition, ainsi qu'une pluie de détails climatiques et microcosmiques comme on en trouve dans les passages clés, charnières et ressorts des romans traditionnels. Le soleil fit donc son entrée, en léchant la surface blanche de la verrière et disposant autour de chaque feuille la roue tournante de ses rayons, puis, passant outre la trame enchevêtrée des ficus et des yuccas, il acheva de transformer l'espace de verre, de verdure et de lumière en un séchoir brûlant plaqué en demi-lune au-dessus de nos têtes. La patine des guéridons se mit à rebondir, le grand miroir fixé au-dessus du grand divan refléta un éclaboussement enflammé de rides rosâtres dans lesquelles sommeillait, suspendue en l'air, une écharpe de strass et de particules virevoltantes ; ce miroir, soudain, eut comme un sourire ainsi que le marbre rouge de la table où l'on aurait pu distinguer une bataille furtive de serpents annelés. Tout le monde avait les yeux fixés sur Helga : le regard bleu de Pierre posant à l'innocence, la matité brune des yeux de Marc s'animant d'un sursaut des paupières, l'ombre vague du regard de Boris restant vague ; quant à moi j'ignore quelle couleur vint réchauffer l'écaille de mes yeux froids ou si quelqu'un remarqua même ma curiosité. Helga, soit parce qu'elle bénéficiait d'une convergence exceptionnelle de regards, soit parce que les reflets réverbérés du soleil vinrent surcharger ce phénomène, parut sortir d'un songe ou d'une torpeur ancienne et ses yeux commencèrent à briller comme des diamants que l'on fait pétiller au fond d'une coupe de champagne.

Mais abrégeons cette image et même la réponse que fit Helga. Il importe seulement de comprendre qu'à ce mot d' « île » — qui sera toujours le véhicule rapide des nostalgies et des désirs violents — l'espace de la villa devint quasi immatériel ; ou plutôt un autre espace accourut se greffer sur celui de la Villa : un essaim de perspectives, de croix, de cubes, de carrés et de pyramides de lumière tournoyant en un cercle qui bientôt figerait ses contours, révélerait ses couleurs, puis prendrait argument de ses rondeurs pour en faire le centre d'une vie située en dehors du monde et pourtant bien de ce monde. Car les îles connaissent la mégalomanie. Elles voient bien plus loin et bien plus grand que leurs propres limites. Elles sont comme des mirages intérieurs élevés à la puissance n de l'infini.

Chez Helga, le jeu participant de l'exercice d'un magistère, nous n'apprîmes qu'une semaine avant la date du départ (sur des billets d'avion qu'elle avait réservés elle-même) que notre destination estivale serait le pays du dictame et de Minos.

C'était vraiment une île, mais si étendue, si montagneuse et si rocailleuse qu'on ne parviendrait jamais autrement que par l'imagination à embrasser ses contours d'île. Nous abordâmes ses paysages désolés sans naufrage préalable ni idée préconçue. (Ici je demande un peu d'attention. Car je voudrais que l'on se représente bien l'effet de surprise qu'eut cette île grecque sur notre colonie en sursis.) Le soin qu'avait mis Helga à organiser ce voyage en Crète révélerait peu à peu la signification profonde que celui-ci avait pris dans son esprit et l'étrange manie superstitieuse avec laquelle elle avait choisi l'île de Crète à l'exclusion de toutes les autres ; enfin, l'espoir qui s'était secrètement logé dans cette expérience laisserait apparaître une logique infernale. Pourquoi allions-nous subitement en Grèce ? Et non pas au Maroc, en Espagne ou bien sur la Riviera ? Oh, bien sûr, Helga avait avec la Grèce des rapports naturels d'érudition. Mais était-ce suffisant ? Il était difficile d'admettre un brusque attrait pour une Grèce contemporaine alors que ma tendre Helga vivait dans une Grèce archaïque, mythologique, quasi fictive. Je ne connaissais moi-même qu'une Grèce de faculté, avec ses dieux et ses fantômes, ses légendes, son art, ses vestiges, temples, maisons ou avenues surgissant du passé comme une forme d'acné tenace sur une peau malade, abîmée par les secousses multiples de l'âge. Mais j'ignorais encore les avantages qu'avait pressentis Helga d'une vie à double fond, superposant une légende encore vivante et une modernité bancale, comme deux couches de farce d'un plat de lasagnes, où, finalement, l'importance qu'aurait l'une d'elles par rapport à l'autre ne serait jamais complètement déterminée.

Pourtant il suffit de mettre en contact plusieurs époques, plusieurs langages pour voir disparaître, disons, s'atténuer, la dictature du temps linéaire et la vanité des langues maternelles. Déjà affaiblie et d'esprit atrabilaire, Helga n'avait pas trouvé de meilleure solution à ses maux que d'aller là où elle avait toujours rêvé d'aller, à un moment où le Temps commençait à faire résonner son horloge mécanique en elle et lui rappelait la tyrannie de sa propre biologie. Mais ce voyage n'était pas justifié par des arguments médicaux. Car, si Pierre lui avait conseillé « le soleil et la mer » comme le fait un médecin pour un patient trop encombrant ou trop contradicteur, Helga révélerait ses véritables raisons une à une : dans les grottes que nous visiterions ; dans les gorges de Samaria (à la recherche du fameux dictame mais aussi d'autres plantes qui viendraient compléter l'herbarium de la villa parisienne) ; dans les visites des palais minoens de Malia, d'Hagia Triada, de Knossos et de Phaistos ; dans les bergeries de montagne où nous passerions quelques nuits ; les promenades louches dans le port de Souda ; les incursions dans les bordels réservés aux marins de l'O.T.A.N. ; les cocktails, les dunes, les plages — interminable liste d'un tourisme éducatif aveuglé par les rayons d'une idée fixe et d'une mission de véridisme. Mais pour quel compte allions-nous travailler ? Quel pays ? Quels intérêts ?

Voyons bien que dans la curiosité du touriste sommeillent des sentiments entièrement exogènes au milieu nouveau qu'il découvre. Ainsi cette naïveté d'Helga à vouloir retrouver les soubassements d'une « vieille culture » parmi les ruines modernes d'un paysage de béton et de baleines d'acier était-elle totalement étrangère aux gens qu'elle rencontrerait. Bien sûr il était amusant, lorsqu'on avait pour bagage un latin de cuisine et un grec de lycée, de retrouver certains des mots de notre éducation dans le berceau qui les avait vus naître mais aujourd'hui paraissait les renier. Car « Héraklès » ne serait pas Hercule mais le nom de l'entreprise de maçonnerie qui viendrait effectuer quelques travaux au « palazzo ». Eurydice serait le nom de la femme de ménage, Alexandre celui du boucher qui nous fournirait en viande rouge (au Sud, les gens du Nord passent pour cannibales). Enfin, pour aller à la banque, nous serions assez sportifs pour ne pas craindre d'aller dans un « trapèze ». Bref, nous découvririons des anachronismes qui n'en étaient pas aux yeux des autochtones mais seulement aux nôtres ; anachronismes qui n'avaient d'existence que dans cet exotisme d'importation qui ne reste honorable que s'il apprend à être discret. Cette présence, cependant, des noms de nos vieilles humanités continuerait longtemps de fasciner Helga qui se poserait des questions que je vous pose maintenant :

A-t-on besoin d'une mémoire quand on dispose d'une mythologie ? Et puis, serions-nous aussi obsédés par le Temps si nous n'avions pas de tels soucis d'éternité ?

Le paysage de rocaille, de genêts, de cyclamens ou de scabieuses où nous avions atterri, n'avait rien de l'enclave protégée de la Villa des Verseaux. Il était ouvert aux vents qui arrivaient par masses brûlantes depuis la baie échancrée du port de Souda. Même en plein milieu du jour, quand le soleil commençait à craqueler un peu cette terre et levait des cirrus de poussière sur les routes de Kydonia (de Kydon, fils d'Apollon), on avait le sentiment qu'un tel paysage possédait une dureté si profonde, une avidité si tenace qu'il semblait en fait plus ouvert que tout autre aux modifications de son environnement — mais aussi plus insensible aux changements de Temps. Surplombant Kydonia et le V déformé de son port de pêche, notre palazzo rappelait à qui voulait bien y prêter attention le caractère plusieurs fois temporel de ce pays. Un portail entouré de chapiteaux corinthiens en marbre, des boiseries vert pâle, et jusqu'aux fenêtres de l'étage noble : tout portait la marque d'une présence vénitienne ; mais à côté de cette présence vénitienne, on distinguait la turque, dans une maison toute proche, avec sa façade de bois et ses airs d'isba. Où était donc l'architecture grecque ? Plusieurs âges s'étaient agglutinés par strates successives ou bien s'étaient posés l'un à côté de l'autre sans souci de conformité. Cette confusion anachronique, cet irrespect des choses plurent à Helga, en dépit de leur complexité. Car de même qu'un individu parlant plusieurs langues court le danger, s'il n'y prend garde, de n'en parler aucune — à moins qu'il ne considère cet état comme une supériorité —, de même un pays où plusieurs cultures coexistent, sans que l'une d'elles ne paraisse prendre le pas sur les autres, risque de devenir indifférent à sa propre richesse et devient incapable de démêler ce qu'il reçoit en usufruit. Mais n'était-ce pas ce qu'avait toujours désiré Helga ? Vivre sous plusieurs latitudes à la fois, connaître plusieurs époques, sans avoir à grimper dans une machine à remonter le temps : n'était-ce pas l'enrichissement rêvé ? Car, peut-être qu'en multipliant les conditions apportées à nos problèmes on pouvait enfin trouver plus de possibilités pour les résoudre ? Là, au milieu de ce magasin de civilisations qui avaient laissé derrière elles les traces contradictoires de leur passage, une harmonie de dissemblances — avec le minaret castré d'une mosquée turque jouxtant le beffroi bombardé d'une église orthodoxe — ne pouvait pas mieux convenir à notre communauté paradoxale. Que nous ayons loué le dernier étage du palazzo d'un ancien marchand vénitien, que ce palazzo et non une banale demeure grecque ait été choisi par Helga, que la location n'ait pu se faire que par l'intermédiaire d'une amie américaine d'Helga, Julia Sinclair, une pianiste célèbre, que tout cela ait pu avoir lieu témoignait du caractère métissé de notre programme îlotier.

Et de même que la Villa des Verseaux était une sorte de bijou reconstitué dans l'écrin fragile d'un quartier en « restructuration » (c'est-à-dire en démolition), de même le palazzo faisait figure d'avant-poste courageux et luxueux dans une petite ville où le béton commençait à étendre sa loi (superposant des travées métalliques comme autant de crocs inquiétants à dix mètres de la jetée de l'ancien port) ; où le torchis des murs s'effritait un peu plus avec le volettement continu de la poussière ; où, enfin, l'idée d'une architecture urbaine n'avait été le fait que d'une présence étrangère éphémère ou d'une lointaine civilisation disparue dont on se disputait, sans aucun talent, tous les secrets. Mais nous allons reparler des mystères de la civilisation minoenne et de la force d'intrigue que cela fit peser sur Helga.

Julia Sinclair nous attendait en haut de l'escalier lorsqu'elle tira sur une cordelette glissée le long d'une main courante qui descendait comme une cascade jusqu'à la porte d'entrée ; elle lança un cri retentissant dans sa langue — mais qui, prononcé dans la nôtre, eût pu faire croire qu'elle s'était coincé un doigt. Une petite colonne de maigreur vêtue d'une tunique noire, avec des cheveux noirs coiffés en casque : voilà ce qu'était Julia.

Elle nous fit faire le tour du propriétaire. Nous passâmes devant chacune de nos chambres (celle de Boris était située dans un pigeonnier au-dessous du toit aménagé en terrasse ; la mienne donnait sur l'étroite cour intérieure ; celle de Pierre, située au fond du couloir, entre la bibliothèque et la cuisine, jouxtait celle de Marc et d'Helga où deux lits jumeaux se faisaient face, recouverts chacun d'un dessus-de-lit en laine qui représentait la gigantesque roue d'un paon). Nous entrâmes enfin dans la grande pièce principale, vaste salon à trois fenêtres où le ciel bleu améliorait en luminosité l'outremer d'un plafond à caissons octogones, sur le bois desquels les formes enchevêtrées et floues de chérubins ainsi que de figures mythologiques — nymphes, faunes, sylvains et dieux colériques — agrémentaient le vieil horizon vaporeux avec les échos d'une puissance marine défunte. Du fond de ces cimes délavées par le temps, on pouvait encore déceler le souffle d'une conquête, comme si l'art avait accompagné le mouvement violent du monde, comme si sa fonction était de créer un rêve au moment où l'on a effacé celui qui précédait. Des housses brodées avec des laines de couleur traînaient sur des fauteuils instables ; la lumière crue, qui arrivait des croisées sans rideaux, venait s'abîmer sur les vitres d'un buffet rouge et lécher les nombreux tableaux accrochés au murs : belle femme au corps nu enroulée autour de son chat noir sur un tapis persan ; champs de lavande en feu sur les pentes d'une montagne ; grosses taches violettes fragmentées de pigmentations blanches (les pointes osseuses des vagues d'un océan démonté) ; visages emblématiques de chats ; énormes divinités primitives atteintes d'éléphantiasis ; mains rougeaudes dont la paume était une feuille d'eucalyptus ; visage de la Parisienne de Minos aux lèvres écarlates. De ce palazzo il émanait une nostalgie particulière, due pour l'essentiel à la superficie trop grande des pièces par rapport au nombre d'invités présents ; nostalgie renforcée par le calme qui étouffait les pas dans les couloirs, atténuait la soufflerie des courants d'air ; nostalgie accrochée à cette immobilité du luxe qui résiste à tous les passages et lovée dans une odeur de temple et de vieilles essences aussi capiteuse et sourde que l'exhalaison du temps.

Julia était venue s'établir en Crète dans un esprit pionnier, en raison du climat, de cette langue si difficile (« It's all Greek to me »), de cet espace suffisamment peuplé pour écarter toute impression étouffante de solitude mais également assez désert pour ne pas permettre les mondanités qui nuisent au travail de l'artiste. Ainsi, le double amour d'un lieu antique et de cette austérité bleue avaient séduit Julia et, en se fixant à Kydonia, elle avait décidé d'ouvrir ses portes plusieurs fois par an à des relations qui recherchaient la proximité et la distance ambiguës de l'air grec. Si Julia avait trouvé en Helga une alliée de principe, Helga avait vu en elle une logistique, des moyens, un lieu où poser ses fesses. Julia possédait une sorte de fixité minérale, elle était dépourvue de cette souplesse qui permet à certains alliages des capacités extensibles. À Kydonia, Julia, seule étrangère « célèbre » régnait, plus qu'elle ne rayonnait. Helga lui enviait cette raideur : elle avait même l'impression d'être venue, dans son état d'indolence et de fatigue, suivre une session de rattrapage. Helga observa la structure osseuse de Julia sur laquelle paraissait tendue à la façon d'une voile économique, un long ruban de peau tannée.

Oui, Helga lui enviait cet air sec et hautain, se disant peut-être qu'il pourrait lui venir en aide quand elle en aurait besoin. Elle se disait sans doute que le principe d'énergie nerveuse incarné par Julia rebondirait sur elle par contagion.

Si Julia fut effectivement d'un grand secours pour hâter notre connaissance des lieux, elle fut aussi une ambassadrice de vitalité et une hôtesse active entièrement dévouée à celle qui, autrefois, lui avait consacré une petite monographie pour une galerie parisienne.

Nous prîmes des habitudes avec les communautés voisines. Les quelques amis anglophones de Julia — un auteur anglais de romans policiers et son jeune secrétaire-amant (une profession perdue des années vingt), un vénérable poète américain (dont le nom n'était célèbre que parce qu'il rappelait celui d'une illustre fabrique automobile de Detroit), deux ou trois Athéniens en exil (il y en eut tant), une restauratrice française (Nicole) qui avait ouvert sur le port une gargote à moussaka ; et puis Vivicka, une archéologue danoise, et puis d'autres personnes encore — formaient autour de nous une série de cercles de mondanité plus excentriques que concentriques.

Lorsque Julia nous laissa livrés à nous-mêmes dans son palazzo avant de se réfugier dans l'ancienne bergerie qu'elle était en train d'aménager à quelques kilomètres de Kydonia, nous retrouvâmes en moins d'une journée le partage habituel des relations de la villa parisienne. Boris ne serait jamais là, mais quelque part entre un choix de trois plages, le « boatel » d'un club de vacances américain et les terrasses de café du port ; Pierre serait toujours torturé par l'inquiétude que lui causait Boris et celle qu'il éprouvait à gérer la santé chancelante d'Helga ; Marc, neurasthénique, passerait son temps à errer dans les ruelles de Kydonia, débusquerait un nouveau restaurant de poissons, un nouveau bar, de nouveaux amis ; Helga, quant à elle, resterait cloîtrée une bonne partie de la journée au palazzo, au milieu d'une rose des vents — mais elle irait bronzer en cachette sur la terrasse du toit, un journal posé en éventail sur sa tête, et ne cessant de se demander comment faire pour s'adapter, s'habituer à sa nouvelle fragilité, elle que l'on avait toujours crue forte ; enfin, moi, pauvre hère sans racines, je continuerais à jouer mon rôle de frêle messager entre les uns et les autres, évitant de proposer ma silhouette de stalagmite à la partie exposée des plages, frissonnant à chaque courant d'air, mettant tous mes espoirs dans la tombée de la nuit, pour ce moment vespéral où d'étranges silhouettes habillées de cotonnades flasques feraient les cent pas sur la jetée du port et répéteraient un rite coutumier où ce qui importait était moins l'état du bronzage que le retentissement d'un rire, la force d'un jeu de mots, l'habileté à passer d'une langue à l'autre, du grec à l'anglais, de l'anglais au français et jusqu'à l'italien, mais aussi la manière de poser une main sur une épaule, voire sur les hanches, ou bien d'imposer la barre éclatante d'un sourire sur le fond interlope et nocturne d'un décor circulaire, parmi les reflets défectueux et désordonnés d'une mer huileuse et les lueurs dangereuses des réverbères qui dressaient leur rectitude comme des gardes suisses (même taille, même gabarit, même uniforme, même âge), espionnant activement un ballet de jambes nues, leurs gros yeux jaunes jetant une luminosité d'ambiance assez discrète pour ne pas faire ressortir les défauts physiques du réel, mais assez puissante pour laisser deviner à un esprit perspicace des déceptions que pouvaient contenir ces défauts.

Dès le lendemain de notre installation, Helga mit toute son ardeur à vérifier, avec notre petit commando anglophile et crétomane, la teneur en exotisme de l'île, la qualité de son climat et les promesses de son hospitalité. Les plages, les restaurants, les bars, les bergeries de montagne, les sites archéologiques, les milieux favorables aux plantes et les spécialités locales : tout fut systématiquement passé en revue. Plutôt, en effet, que de s'enfermer dans cette bibliothèque de l'existence où l'on sépare les jours les uns des autres comme des volumes solitaires sur une vaste étagère, Helga s'engouffra dans la spirale du temps avec la passion inflationniste d'une jeune héritière.

Marc trouva Helga trop pressée et trop pressante, sa voracité culturelle paraissant sans fin. Il tenta de la réprimer pour le regretter aussitôt, après avoir provoqué une scène ridicule :

« Écoute, lança-t-il, Pierre dit qu'il faut que tu te reposes...

— Tu m'emmerdes ! Si ça te fatigue de te promener, c'est ton problème, pas le mien ! » répondit-t-elle.

Je soupçonnai Marc d'avoir l'égoïsme des personnes casanières qui mettent toute leur énergie et mobilisent tous leurs muscles congénères dans une tactique de retrait du monde à laquelle ils veulent contraindre leur entourage. Car Marc avait bien cette petitesse mesquine des gens qui exultent secrètement lorsqu'ils ont sous la main une excuse idéale pour n'avoir pas à bouger ou lorsqu'ils peuvent tenir enfermé avec eux le prisonnier malgré lui

213

qu'est à leurs yeux le malade, l'invalide, le vieillard ou l'enfant en bas âge.

À l'issue de ce menu incident, je compris que le lien de complicité entre lui et Helga était en train de se briser et que Marc, qui confondait attention et prévention, fermait négligemment les yeux sur les évidences les plus limpides.

Or, loin de désirer un enfermement protecteur auquel l'eût déjà contrainte sa maladie, enfermement progressif allant jusqu'à l'étanchéité totale, comme ces couches épaisses et élastiques que l'on glisse sous les fesses d'un bébé, sécurité dont on ne sait jamais si elle doit satisfaire celui qui en est l'objet ou bien ceux qui ont pour mission de l'assurer — loin de vouloir cette indolence en forme d'impotence, Helga cherchait au contraire les moyens de brûler un peu plus les réserves vitales qu'elle sentait fondre en elle. Enfin, parce qu'elle sentait dans son être animal qu'elle allait extraire de ses capacités physiques des forces qui bientôt ne seraient plus qu'un souvenir ou un fantasme, Helga se montra intraitable sur la question de ses activités. Que Marc n'ait pas un instant deviné (quel crétin !) ce désespoir ordinaire que chacun voit passer à la rencontre de sa vie quotidienne et qui maintenant traversait de plein fouet celle d'Helga — qu'il n'ait pas vu précisément cela et qu'il ait préféré joindre l'utile (la protection d'Helga) à l'agréable (la contemplation d'un palais de rêve pour un bricoleur) avait fini par exaspérer une Helga colérique et intrépide. C'est pourquoi elle se hâta d'écarter tous les gêneurs, un à un. Pierre fut renvoyé à ses études chaque fois qu'il manifesterait de l'inquiétude (« Tu ne devrais pas rester trop longtemps exposée au soleil. ») Ce fut donc dans cette brèche, laissée ouverte par intermittence, que je me glissai

214

subrepticement avec la malice du serpent, pour prendre, en plus de la place que j'occupais déjà à ses côtés, celle de Marc et de Pierre. Peut-être que dans mon famélisme morbide, j'avais su pressentir l'aube d'une déchéance. Peut-être aussi avais-je senti, comme les animaux inférieurs, le parfum dangereux, voluptueux, de la mort envahir l'esprit de mon maître. Et peut-être en avais-je conclu (hâtivement) qu'il fallait ne rien faire qui pût lui déplaire et donc tout faire pour accroître son plaisir. Je ne doute pas qu'entre le refus de la mort et son acceptation, on ne sait trop que choisir si l'on croit l'issue inéluctable. Mais, sans doute à cause d'un septième sens, ou bien à cause d'expériences anciennes inscrites dans ma biographie (dont vous ne saurez rien, n'y comptez pas, vous vous trompez de livre), j'ai toujours en fait su deviner et respecter l'arrivée de la mort autour de moi. Cependant, n'allez pas croire qu'aujourd'hui, dans la tristesse désolée de mon oisiveté, je passe mon temps à épingler des poupées de cire ou de chiffon, voire à cocher sur l'écorce d'un totem les morts auxquelles je me sentirais lié. Non, et si vous avez osé penser cela, c'est par manque de réflexion. Veuillez faire l'effort d'imaginer que mon cœur n'a jamais été enveloppé d'aucune graisse et que, doué d'une réceptivité peu commune au moindre coup de vent, aux plus infimes vibrations, mouvements ou efforts musculaires, j'ai la possibilité d'entendre ce que les autres ont cru seulement percevoir. C'est une loi générale de compensation. En m'ôtant certains charmes et en désossant ma carapace, la nature a peut-être, dans un souci d'équilibre et de justice (à moins que ce ne soit justement de déséquilibre et d'injustice), décidé de me pourvoir de sensations que les autres ignorent. Saura-t-on jamais ?

Toujours est-il qu'un sursaut de connivence vint enrichir la relation disciplinaire que j'entretenais avec Helga. Nous devînmes, cette fois, inséparables. Une passion s'installa en nous, plus forte que tous les amours. Helga pensait-elle que je voulais l'accompagner dans de derniers plaisirs ? Comment savoir ce qu'elle pensa ? Analysons seulement ce qui peut l'être.

Le second jour passé sur l'île est consacré à la découverte de la plage. Après avoir choisi sur une carte l'emplacement reculé d'une plage que Julia avait décrite (« lined with palm-trees »), nous descendons jusqu'au port pour louer des véhicules à deux roues chez un gros homme vêtu d'une « vraka » noire et d'un T-shirt barré du nom de sa boutique (« Zeus »).

Ensuite, sur son divin vélomoteur, Helga aura l'air d'une grosse boule jaune assise à califourchon sur deux larges pneus noirs. Elle roulera comme un bolide aérodynamique, son corps faisant masse avec la machine et offrant très peu de résistance au vent — dix fois moins que le bâton rigide de ma silhouette austère arrimée maladroitement sur son socle d'acier et de caoutchouc.

La plage est une petite étendue de sable enfermée au fond d'une crique de roches blanches, surveillée du côté de la route par l'auvent de bambous d'un restaurant de poissons et, à l'horizon, par un îlot minuscule que l'on rejoint facilement à la nage. Le vent qui s'était massé au large arrivait par saccades et mettait des rides sur le rivage ; il détournait l'orientation des vagues, imprimant en elles le sourire torve de l'écume, et, pour finir, faisait palpiter des bruissements sur nos corps dénudés.

Nous étions seuls, ou presque. À cette heure de la journée, on apercevait seulement un vieil homme promenant son chien noir sur la dune qui surmontait la plage en direction d'une colline escarpée, au-delà de la route. Sous nos pieds, le sable était déjà brûlant, mais d'une chaleur accumulée et engrangée, pareille à celle d'un radiateur. Le soleil installait sa bouilloire au-dessus de nous.

Helga s'était complètement déshabillée avant de s'étendre sur une couverture de plage à monogramme. Je m'inspirai de son exemple et m'allongeai, un coude planté dans le sable, sur une serviette étroite. N'ayant pour tout vêtement que ses lunettes de soleil, Helga avait l'air plus mince. Comme chez les gros, une peau longtemps boursouflée par la cellulite a tendance, à la suite d'une phase d'amaigrissement, à s'avachir ; d'ailleurs la carapace dermique d'Helga était en train de subir ce phénomène à vaste échelle. Les deux gros ballons de ses seins s'étaient ridés à leur base ; ses jambes laiteuses — jadis de solides poteaux musclés — avaient rétréci au-dessous de ses cuisses qui paraissaient d'autant plus lourdes maintenant qu'elles continuaient de ballotter et de frémir pitoyablement, telles des excroissances juchées sur une tuyauterie défaillante. Et les strates de chair qui, sur quatre étages, allaient de son cou à sa gorge, s'étaient contractées et comme resserrées, laissant derrière elles autant de plis qu'elles avaient formés. Ses tétons ne dardaient plus mais regardaient dans le vide, comme frappés d'une rétinite, pareils à des yeux morts qui refusent de se fermer — tristes cernes autrefois violets et splendides et désormais jaunes, cireux.

Derrière nous des paquets d'herbes décolorées frissonnaient rythmiquement au milieu de bruits de pas qui s'enfonçaient sur le plancher mou de la plage. Helga se mit sur le côté et fouilla dans son sac de toile, d'où elle sortit, après bien des hésitations, une vieille édition d'*Ulysse* tout écornée où l'on voyait sur la couverture un homme lascivement enchaîné au mât de son navire ; puis elle s'empara d'une cigarette et de plusieurs flacons d'huile solaire. Elle me demanda de lui masser la peau.

Tout en faisant couler sur sa peau luisante de sueur de petits filaments d'un lait protecteur qui s'incrustaient difficilement, je l'écoutais morigéner Marc et gronder Pierre comme on peut seulement le faire de deux amis envahissants qui hésitent à se comporter en amants véritables. Me limitant au seul exemple des lotions, je choisis de feindre de prendre leur défense :

« Tu ne crois pas, dis-je, qu'ils ont raison, au moins pour ces produits ? Tu es si blanche... et le soleil est si agressif. »

J'aurais pu avouer — si j'avais su que dans notre imaginaire les gros sont toujours crédités du signe + et les maigres du signe — (avec toutes les connotations afférentes à ces pôles antithétiques) — que je trouvais quelque joie à pétrir une peau grasse qui, même flétrie ou malade, serait toujours plus ferme, plus sécurisante que la pellicule squameuse que j'avais sur les os. J'aimais la consistance des huiles, leur pouvoir émollient, leur odeur civilisée. J'inventai quelque argument historique pour justifier leur utilisation.

« Tu savais que les Grecs s'enduisaient d'huile d'olive ?

— C'est vrai, c'est vrai... J'avais oublié, répondit-elle en souriant distraitement, comme pour ne pas effarou-

218

cher le mouvement pointu de mes petites mains mala-
droites et pressées qui déferlaient sur son ventre et ses
cuisses pour malaxer leur rondeur.

— Pierre dit que les bains de mer activent la circula-
tion sanguine et que c'est bon pour moi. Julia m'a affirmé
que la " féta ", est un fromage excellent, qu'il faut en
manger tous les jours. Vivicka pense, elle, que la viande
crue est indispensable pour lutter contre les maladies.
Tout le monde me propose ses recettes... », ajouta Helga
en soupirant.

Elle n'avait jamais aimé les conseils, surtout lorsqu'on
les dispensait pour se laver de sa propre inquiétude. Quel
contraste entre l'enthousiasme culinaire qui ne cherche
d'autre fin que le plaisir et la diététique médicale qui ne se
soucie jamais de plaisir mais seulement de... diététique !
Comme je comprenais la lassitude d'Helga, moi à qui on
n'osait plus proposer un quelconque régime dans l'espoir
de me faire grossir.

Assis sur ce rivage isolé, qu'une mer azuréenne venait
lécher régulièrement, où des galets de taille et de couleur
diverses roulaient les uns sur les autres, rejetant sur le
sable des échouages hideux (mais minuscules) de boules
de bitume ; où, par instants, le vent levait dans notre
direction des embruns qui avaient d'abord tourné autour
de l'îlot rocheux, sur cet endroit bâtard, lourd et sec —
assis, donc, je m'aperçus qu'Helga était venue chercher
sur l'île les ingrédients qui faisaient le plus défaut à la
Villa des Verseaux et que le Portique de Zénon ou le
jardin d'Épicure avaient sans doute eu la chance de
connaître : cet air ancien, vénérable et ouvert des vrais
refuges contre l'ennui qu'une grande ville moderne
n'offrira jamais, ce sens délicat du plaisir que seul un

archipel protégé — ou une île bleue — peuvent développer loin des territoires autorisés où chaque idée doit
correspondre à une signification précise et chaque sensation à une émotion, chaque plaisir à un désir.

Des relents de bière, d'espadon grillé et d'herbes
aromatiques vinrent frétiller à nos narines au moment où
un autocar de couleur kaki s'immobilisa au bord de la
route. Une troupe d'une petite vingtaine de personnes —
mi-ombres mi-hommes dans le miroitement du ciel — en
sortit et se déplaça en crabe vers nous.
    « Qui c'est ? demandait Helga, toujours couchée sur sa
couverture, baleine flasque en train de fumer dans son
écorce sableuse.
    — J'ai l'impression que c'est des soldats américains de
la base de l'O.T.A.N. qui viennent avec des filles, dis-je.
    — Tiens, mais c'est intéressant. Voyons ça un peu ! »
    Et déjà Helga se redressait pour observer la scène. Des
filles vêtues de triangles bariolés, blondes ou rouquines,
aux lèvres carmin, vinrent se poster à dix mètres de nous
en se trémoussant. Leurs rires de phoques affamés
entrecroisait le râle ensommeillé des soldats. Crânes
rasés, shorts noirs et amples, T-shirt de l'U.S. Navy, ces
soldats établirent un campement clairsemé au milieu des
filles. Des gloussements de kindergarten s'ajoutèrent au
roucoulement des vagues.
    Un gros Noir mafflu qui ne cessait d'observer le
promontoire massif incarné par Helga vint à l'abordage
et réclama du feu. Il me jeta un regard désabusé, comme
peiné de voir l'étrange couple que je formais avec elle
puis il considéra ma compagne avec ses yeux globuleux

tout en évaluant chaque portion de son corps — jusqu'à la petite bosse du pelvis découvert (Helga était restée nue ; j'avis remis mon maillot de bain pour cacher en toute hâte le chibre insolent, le « gros pétard » calé entre mes jambes — soit dit en passant, cet attribut de fierté ou de honte [cocher le terme convenable] ne parvient pas à compenser, en dépit de ma tête angélique, le portrait peu flatteur que je m'obstine à faire de ma personne.)

Lorsque, quelques minutes plus tard, nous prîmes notre baptême d'eau de mer, les yeux de ce gros Noir étaient toujours collés sur mon inquiétante étrangeté. Grand échalas à la blondeur d'albinos, grand dadet maladroit, les mains repliées sur mes côtes, j'enfonçai un à un mes pieds dans l'eau tiède ; la moindre zone de fraîcheur parcourant ce liquide bleu-vert remontait le long de mes os comme des ruisseaux de glace pilée à l'intérieur de conduites de cuivre, et l'effet de narcose des rayons du soleil s'ajoutant, dans le choc des températures, à ma nature antiaquatique, je mis une éternité à plonger entièrement dans l'eau mon être reptilien.

En revanche, Helga, si pataude quand elle se déhanchait à terre, piétinant avec hésitation cette plage qui se dérobait à tout instant sous ses pas, parut retrouver son élément naturel avec la grâce et l'agilité d'un lourd animal à nageoires qui rejoint joyeusement son bassin d'entraînement. L'eau glissa sur sa peau d'huile, de sel et de sueur. Helga devint flotteur, bouée, esquif impondérable. Moi, évidemment, je conservai, tout le temps que dura ce bain, une nervosité d'ancre, une maladresse de navire échoué par sa faute. Spectacle indigne des poissons, je devais présenter une dorsalité bien bizarre. Car les os de ma colonne vertébrale ressortaient très nettement, un peu comme si on m'avait enfoncé un bambou dans le derrière et qu'il était remonté jusqu'aux épaules (supplice connu).

De fait, chaque fois que je devais aller me baigner, j'éprouvais le vif désir de quitter cette peau tout en ayant l'inquiétant sentiment d'être privé de « corps » et pourvu de sensations. Mais il faut se rendre à l'évidence : le corps humain est une étrange machine dont on peut se demander légitimement par quel miracle elle semble marcher. Car tout, sur certains êtres, semble désavouer le principe même d'un fonctionnement. Nous ne sommes qu'un assemblage bizarre et incertain de tuyaux flexibles, d'articulations et de fils grossiers. Le corps n'est-il pas un scandale absolu en comparaison de la beauté d'une idée ? Car non seulement nous sommes mortels mais en plus nous naissons imparfaits, difformes, mesquinement agencés, grotesques et pour le plaisir de qui ? Saura-t-on jamais ? (Question sans objet.)

Trois marins s'amusèrent à pousser un radeau de plastique vers l'îlot. Leur peau riche en mélamine faisait barrage aux rayons du soleil tandis que celle d'Helga et la mienne subissaient une attaque en règle de flèches obliques et de torches de feu. La couche oléagineuse dont j'avais recouvert mes os fondit rapidement et je sentis, alors que je continuais à barboter gauchement dans la vaste coulée d'eau claire, dans l'entrecroisement de vert, d'ambre et d'étoiles, que des rougeurs étaient en train de fixer leurs plaques sur le bout de mon nez, sur mon front et sur mes omoplates.

De retour sur la plage, nos corps tout visqueux et ensablés s'affalèrent sur leurs aires de repos. Mes cheveux cendrés me faisaient une filasse à la nuque et ceux d'Helga lui masquaient le visage à la façon d'un palanquin. Nous retrouvâmes l'état léthargique que nous avions quitté dans la fournaise du jour. Et les palliatifs cosmétiques ne parvenaient pas à éloigner la cuisante douleur qui nous picotait l'épiderme.

Cette action combinée d'eau, de soleil et de chair — Soleil et Chair — ramena Helga à son opulence passée ; quant à moi, elle ne fit que me rappeler ma maigreur inchangée, alors que je pouvais soudain observer un curieux manège s'installer sur la dune ; manège ou jeu de bras, de jambes et de têtes qui disparaissaient entre les hautes herbes blanches et les plumeaux de velours des urginées maritimes.

« Je crois que je vais aller faire un tour là-bas. Attends-moi ici », dit Helga, qui venait de plisser les yeux comme pour deviner le spectacle abrité par le fouillis de cette dune. J'entendis des gloussements, un cri bref, puis des rires.

Helga revint une demi-heure plus tard, une serviette passée autour des reins, la poitrine couverte de sable. Au lieu d'accourir vers moi, elle fit un crochet suspect en direction du rivage pour aller s'accroupir dans les vagues et dès qu'elle eut de l'eau jusqu'à mi-jambe elle se passa de l'eau sur le sexe, sur les fesses, puis sur les seins. Enfin elle revint à sa place.

« Tu sais ce qui se passe là-bas ? me demanda-t-elle.

— Non.

— Il y a des rendez-vous galants dans les buissons. Les rouquines de la plage, ce sont des Anglaises.

— Ah, bon ? (toujours avec mon air étonné et puceau).

— Oui, et en plus je suis allée voir le Noir qui nous

regardait tout à l'heure. Très, très bien, ce Noir », ajouta Helga en riant.

J'écarquillai les yeux et j'eus un sourire mou.

« Écoute, reprit-elle, tant que les soldats de l'O.T.A.N. passent leur temps sur les plages, personne n'a à se plaindre. » Je crus un instant que l'accent circonflexe de mes sourcils lui faisait chercher une réponse rationnelle et raisonnable. Il n'en était rien. Et Helga fut intarissable :

« C'est dix fois mieux que L'Aphrodisiaque, ici. C'est comme un supermarché. On prend ce qui vous plaît... Il est bizarre que les gens — ça dure depuis l'Antiquité — cherchent encore à moraliser ces échanges brefs, rapides et inconséquents. Ça a toujours existé et ça existera toujours.

— Oui, mais tu ne ferais pas ça à Paris ? dis-je, prudemment.

— Hein ? J'ai déjà fait pire ! Mais il est vrai qu'on ne peut rien faire d'autre dans le lieu où l'on vit que de proposer à nos relations sexuelles le confort d'une épicerie fine. Tout le monde fait mine d'être exigeant sur la qualité. Si je n'arrive plus à coucher avec Marc, c'est parce qu'il est trop bien, trop bien fait, trop prévenant. C'est idiot, non ?

— Oui, mais tu vivrais avec ce marin ?

— Sait-on jamais ! Si j'avais droit à neuf vies, je voudrais en tout cas que l'une d'elles vienne contredire toutes les autres ! »

Plus j'écoutais Helga et plus je sentais qu'elle cherchait à s'affranchir et à m'affranchir des idées communes que l'on pouvait se faire sur l'amour. Quelle était la frontière entre « la tyrannie des glandes » et la nécessité des relations ? La passion était-elle une condition transitive du plaisir ?

« Tu voudrais savoir si je désirais vraiment ce marin ? Mais je suis prête à répondre que non ! » dit Helga avant d'ajouter : « C'est d'ailleurs ce que disent tous les mecs quand ils prennent une pute. Ce marin a cru que j'étais une pute. Tu ne peux pas savoir l'effet que ça m'a fait d'avoir cette impression. Et puis je suis sûre que jamais la femme qu'il épousera ne pourra lui donner le plaisir anarchique qu'il vient chercher sur les plages. Je crois vraiment qu'il y a deux types de désirs amoureux. Depuis la nuit des temps l'humanité hésite entre des plaisirs construits, ritualisés, adultes, si l'on veut, à côté de plaisirs plus primitifs, plus archaïques. Personne n'en parle. Pourtant c'est la seule chose qui existe. Tout le reste, l'histoire des " perversions ", la chimère des " préférences sexuelles ", tout ça n'existe pas. C'est du bla-bla. La vérité c'est que personne n'accepte les paradoxes de l'existence. Or, l'amour raffole du vide ! »

Sur cette grande phrase déclarative, Helga s'était tournée sur le côté, exposant à la face du soleil la montagne rose et gélatineuse de ses fesses ; enfin elle avait repris ses lunettes pour lorgner discrètement du côté de la dune et attendre le moment où son marin redescendrait vers le bord de la mer. En venant désapprendre ici ce qu'elle avait enseigné, écrit, pratiqué ou aimé, Helga mettait à l'épreuve ses propres amours. Accessoirement elle me conviait à réfléchir sur moi-même et à appuyer sur le déclencheur d'une sensualité que j'avais toujours mise à distance. Étais-je enfin un être doué de sens sexuel ? Ou bien un monstre chaste ?

Avouons donc ce qui peut l'être : l'aventure de la dune provoqua dans la partie la plus musclée de mon corps d'incontrôlables picotements.

Quant au marin, il fit une apparition tardive mais brusque. Écartant de ses mains un bosquet d'herbes sèches d'où il émergea, tel un gros démon balourd, il se mit à courir vers l'extrémité de la plage la plus reculée, là où les rochers pointaient dans l'eau comme des mamelons vif-argent. Ostensiblement il évitait de regarder la zone où Helga et moi étions allongés. Et comme Helga quelques minutes plus tôt, il se livra à un exercice d'hygiène, retirant prudemment son short pour essorer un petit sexe timide aux allures de vibromasseur miniature (« baby size » aurait dit Vivicka). Il trempa donc dans l'eau à plusieurs reprises la chair fragile de son sexe ramolli, lava son short dans l'onde puis se dirigea enfin vers l'égouttoir public de la plage. Il nous dépassa bientôt sans jeter aucun regard sur la masse imposante d'Helga livrée aux rais pervers du zénith et aux tremblements poussifs d'une respiration qui hésitait entre le ronflement et le roucoulement.

Il y avait une différence essentielle entre l'activité de la dune, celle du bain de vapeur ou celle de L'Aphrodisiaque. Autant le Bain était le déversoir physique de pulsions anonymes, autant la dune représentait le versant solaire de cet anonymat sensuel. Le fait d'une part de s'y montrer à découvert, de n'avoir aucune obscurité sur laquelle s'appuyer et d'autre part la nécessité d'avoir à rechercher un abri discret pour mener rondement son affaire (ce que les animaux savent faire à merveille) contribuaient à créer d'étranges rapports dont le caractère furtif permettait à chacun de retrouver aussitôt après son indépendance.

De même qu'un enfant refuse d'abandonner son jouet fétiche, de même Helga ne pourrait plus se passer des mirages de cette dune. À défaut, elle chercherait à en trouver l'équivalent ailleurs.

L'arrivée subite dans sa vie de ces amours incontrôlées et incontrôlables contredisait tant de ritualités précédentes que cela faisait penser au temps de récréation que des élèves débrouillards mettent à profit pour tricher avec le programme officiel des études.

Helga avait cherché — et continuait de chercher — ce qu'il y avait de miraculeux, de littéraire, de métaphysique ou d'antiphysique dans l'amour. Elle crut découvrir de simples vertus bassement physiques, quasi animales ou énergétiques, alors que ses cours démontraient que l'amour pouvait être une forme de civilisation, une sorte d'Atlantide perdue qui n'attendait que le jour de sa redécouverte. Mais quelle civilisation apercevoir entre les déclivités sableuses de la dune ? Quelles ruines fabuleuses cette dune masquait-elle ?

De retour à Kydonia, Helga avait l'air plus dynamique. Elle avait pris des couleurs qui éclatisaient les pommettes de son visage d'une couperose bronzée. Elle avait le bleu regard rieur des poètes de sept ans. Pierre qui s'était installé dans le salon pour jouer aux échecs avec Boris comprenait mal cette mine réjouie. Comment une seule journée passée à la plage pouvait-elle réussir là où des tranquillisants avaient échoué ? Que cachait donc cette plage pour transformer un pessimisme en optimisme ?

Helga avait maintenant son idée sur la façon de passer la soirée. Avant de faire un tour dans le seul bar foncièrement louche (Paradise Lost), nous irions dîner dans une boucherie-restaurant située à quelques kilomètres du centre-ville. Des taxis jaunes soulèveraient des nuages de poudre grise sur leur passage — véritables tapis volants qui se mettraient à vibrer au son de la « lyra » crachée par un auto-radio.

Des considérations diététiques succéderaient au mirage érotique de l'après-midi. Tranchées devant nous sur un billot de chêne, par un boucher qui frapperait la viande à coups de hache sans faire preuve d'aucune science, d'aucun art de la découpe, d'énormes côtes de bœuf viendraient rompre le régime maigre auquel la villa s'était plus ou moins sournoisement condamnée. Je regarderais Helga déglutir une viande grasse un peu trop cuite et parfumée à l'origan avec le même enthousiasme rapace que les pensionnaires de nos anciens sanas à qui l'on chantait les vertus de la carne rouge.

En dépit de tels efforts, Helga conserverait, sous la mince couche de bronzage, le teint anémique et gris qu'elle arborait à son arrivée. Quant à moi, toujours incapable de suivre aucune discipline nutritive, je laisserais mon plat à la meute de chats faméliques qui venaient tourner autour des tables, honteux mendiants battus et chassés et qui avaient résisté ou échappé à bien des massacres. Car jamais l'on n'a vu chats plus maigres qu'en Grèce. Et Julia d'expliquer que personne ne songeait dans ce pays à donner à manger aux chats : « ... Mais il ne faut pas se plaindre. Il y a encore quelques années, tuer un chat était un sport national. » Pendant une fraction de seconde, je m'identifiai à ces pauvres félins.

Plus tard, vers minuit, nous ferions donc une entrée théâtrale au Paradise Lost. Abrité sous les voûtes de brique d'une cave, ce bar, aussi étroit que bruyant et inconfortable, accueillait une foule interlope de petits marins grecs, de touristes égarés et de filles de louage qui venaient chercher là des arguments monétaires à leurs déhanchements. Je me retrouvai bientôt seul avec Helga. Le Paradise Lost, avec son atmosphère de complot, n'avait rien d'un paradis. Helga et moi fîmes le point sur nos vestiges corporels. Helga commanda à boire. Des « margaritas ». Rien de grec, donc. Et contre tout usage local, elle fit servir deux marins affalés sur le zinc du bar qui aussitôt se présentèrent en ayant recours à cet anglais de trois cents mots qui permet à ses utilisateurs de se présenter en authentiques défenseurs de la langue anglaise. Après avoir salué Spiros et Kyriakos, Helga m'entraîna dans un petit box de velours rouge, véritable écrin observatoire où, tels deux savons privés de leur emballage de soie, nous exposions aux regards de la petite foule enfumée une certaine nudité dans nos personnes. Non pas que nous fussions anormalement dévêtus mais les fusils de nos yeux s'ajoutant à la mollesse de nos attitudes achevèrent de déporter vers nous toutes les attentions.

« C'est très bizarre ici, disait Helga. Ce n'est pas comme la dune... Il y a un tiroir-caisse en plus... On peut avoir n'importe qui pour une poignée de drachmes. Naturellement tu trouves ça très immoral cette prostitution », me demandait-elle en sachant que le disciple mortifié que j'étais n'avait rien à redire. Et elle continuait : « Tu as déjà eu l'impression que ton corps avait une valeur marchande ? »

Je rougis et, dans mon trouble, je dodelinai de la tête, ne sachant pas, si de dire oui, je me surestimais ou si, de dire non, je jouais les hypocrites.

Helga était intarissable : « Il y a quelque chose qui me fascine dans les transactions amoureuses. C'est que la prostitution semble afficher la vérité des prix ! »

Mon romantisme désuet protestait en moi de toute son énergie mais je dus convenir que, faute d'expérience en ce terrain miné, Helga prenait plaisir à poser de nouvelles bombes.

« Ce qui m'amuse, disait-elle, chez ces machos grecs, c'est qu'ils considèrent leur désir comme une prise ; leur sexe est à leurs yeux une sorte de poignée. Pour eux les femmes sont des valises inertes ! On est bien loin des sentiments, non ? »

Pendant qu'elle parlait d'une voix lente et avinée, empesant chaque syllabe d'un corset d'émotion, je remarquai que Spiros et Kyriakos, les deux marins hypermusclés du bar, ne cessaient de fixer leur créditrice ; on eût dit qu'ils étaient prêts à subir toute sa mélopée dans la seule attente d'un autre verre.

« Ce qui semble peut-être plus authentique dans l'amour c'est qu'on n'a pas besoin de parler. Le langage ne sert à rien et son absence démontre l'aspect ancien et lointain de l'amour. Car l'amour et le sexe datent d'avant l'apparition des langues...

— Mais je croyais que tu te méfiais de ce qui était primitif ? dis-je avec ironie.

— Moi aussi, je le croyais. Mais les masques que nous

inventons servent à nous voiler la face. Il y a peu, j'aurais trouvé dégradant d'avoir à payer pour faire l'amour avec des inconnus. Et pourtant aujourd'hui j'ai conscience d'avoir un terrible privilège. J'ai l'impression idiote de toucher des gens qui n'ont pratiquement pas changé en vingt-cinq siècles. C'est peut-être cette pudeur qu'ils mettent dans l'impudeur qui est toujours la même depuis l'Antiquité... »

Helga continua à philosopher pendant plusieurs heures et chaque fois que le serveur-serveuse (« Marilyn », un transsexuel importé d'Athènes) venait remplir nos verres, Helga faisait un signe en direction des deux marins pour qu'on n'oublie pas d'étancher une soif qui cachait aussi un désir. Marilyn sautillait vers le bar (oh, how she hopped !), avec ses hanches tahitiennes, et pinçait, à travers l'étoffe transparente de son T-shirt, les tétons d'une poitrine presque prometteuse. Dans son grec naturel et dans son anglais touristique, elle encourageait à l'évidence toutes les possibilités de flirt. Et d'ailleurs elle vint s'asseoir quelques minutes à notre table et susurra en anglais : « You know, the two men at the bar like you. You can invite them if you want. They are very nice... »

Le culot du commerçant qui s'agitait en Marilyn me donna l'impression d'être plongé dans un bordel antique, tel celui de Pompéi où une mosaïque indique une position technique à l'entrée de chaque pièce. Je me doutais — et je le redoutais — que tout cela serait au goût d'Helga. Or c'est exactement ce qui arriva.

« Tu veux une fille ou un marin ? » me demanda-t-elle abruptement.

Ma prudence — qui s'apparente à une forme d'impuissance — me poussa à repousser toute option. Mais ma réponse n'eut aucun effet dissuasif sur Helga qui décida de ramener au palazzo, pour son propre compte, les deux marins. Avec une audace enfantine, et le plaisir que l'on éprouve à commettre un sacrilège, nous remontâmes, tels deux courtisans accompagnés de leur suite, vers le vieux palais, en longeant la jetée déserte du port désormais plongée dans une brume opalescente et froide que transperçaient les serpents jaunes des réverbères. Spiros, le plus grand des deux, le plus svelte et le plus athlétique, trottait rapidement derrière Helga tandis que Kyriakos, un jeune corps trapu doté d'une couronne de cheveux frisés, suivait en zigzaguant le reste de la troupe. Quand nous entreprîmes d'escalader le tyrannique escalier de bois, les pas de Spiros et Kyriakos parurent s'enfoncer plus mollement, moins par peur de réveiller des occupants endormis que par habitude, de cette habitude prise lorsqu'on se glisse dans une maison étrangère pour un court moment de plaisir passager.

Ébahis par le luxe des chérubins, des miroirs et des tableaux du salon — mais transis par les courants d'air —, ils chuchotaient entre eux, comme des enfants récompensés pour leur bonne conduite par une visite au musée. Nos chemins se séparèrent lorsque je pris une oblique pour rejoindre ma chambre. Je les vis seulement disparaître dans le sillage d'Helga, derrière la coulisse d'un grand rideau de laine naturelle.

Leur absence au petit déjeuner m'amena à conclure qu'Helga s'était débarrassée d'eux, les faisant passer par une trappe invisible. J'utilise à dessein cette image de la trappe. Un jour, pour mieux résumer la logique d'une carrière de don Juan, Helga avait eu ce mot : « À côté de chaque lit il faudrait installer une vraie trappe pour expédier l'instrument du plaisir devenu inutile. » Ne croyez pas que cela démontrait je ne sais quel cynisme. Non, le seul souci d'Helga était une considération d'ordre pratique.

Cette soirée mouvementée, riche en bruissements et en froufroutements, qui s'était prolongée jusqu'au l'aube, me fit penser à l'amour comme à une besogne difficile à laquelle tout le monde semblait voué. (Tout le monde sauf moi.) Et cette activité nocturne des autres me renvoya automatiquement à ma propre ténuité, à mes propres déficiences.

Les jours suivants, Helga se dota d'un programme draconien pour concilier trois nécessités : le repos qu'elle était venue chercher ; le travail qu'elle devait accomplir ; enfin ce commerce d'amour qu'elle voulait expérimenter sur une grande échelle. Ainsi passait-elle ses matinées à travailler à son *Utopia,* s'arrêtant vers midi pour déjeuner d'une moussaka cuisinée la veille ou bien d'une darne d'espadon. Puis elle branchait le baladeur stéréophonique de Boris sur les haut-parleurs du salon et mettait à plein volume quelques airs d'opéra qui comblaient de leur tessiture l'espace venté du couloir et recouvraient complètement le bruit de la mer.

Installée dans le bureau-atelier de Julia tout encombré de toiles et de livres d'art, Helga écrivait dans de petits carnets bleus qu'elle avait amenés en Grèce. Affalée sur un divan ou bien assise rigidement à une table peinte, les yeux fixés sur la fenêtre et au-delà, sur les cyprès et les eucalyptus, elle écrivait, annotait, corrigeait, marquant de fréquentes pauses, courant à la cuisine pour picorer quelques restes froids, une grappe de raisins noirs. Mais souvent, nous prenions ensemble nos petits déjeuners sous les grands parasols du café Remetsos qui est à Kydonia ce que Les Deux Magots sont au boulevard Saint-Germain ; et Helga en avait rapporté l'idée d'un repas universel composé d'œufs sur le plat servis avec des tranches de poivron grillé, un jus de fruit pressé et un yaourt au miel.

Dans un premier temps Helga avait retrouvé un appétit normal qui la rendait d'autant plus satisfaite qu'elle ne reprenait aucun poids. Ni la boucherie de Mourniès, ni les verres d'huile d'olive ingurgités à six heures du soir n'y changèrent rien. Tout au contraire. Il semblait en fait que l'énergie culinaire, bientôt touristique et toujours livresque — qui le soir ou l'après-midi prenait un tour nettement érotique — était dépensée en pure perte ou alors exaltait une manière de vie antérieure.

J'ai tendance à me dire — bien que mon expérience modeste m'incite à des jugements raisonnables — que si l'amour ne guérit d'aucune affection, de quelque nature que ce soit, du moins aide-t-il à oublier son obsédante nécessité. C'est ainsi qu'Helga trouva, dans ses transactions avec les marins de Souda, une bouée sympathique et, peut-être, l'illusion d'un sauvetage. Ma nymphe adorée ayant les proportions que l'on sait et une âme de navire en perdition, un pressentiment que la fin de ce voyage en Crète marquerait le début d'une longue agonie se fixa en moi avec la présence cuisante d'une morsure amoureuse. Aussi m'efforçai-je de suivre Helga partout, en espion, dans les heures curieuses ou délicieuses qu'elle devait connaître sur cette île.

La femme de ménage lui ayant confié qu'elle prenait sur ses économies, pour, le soir, foncer sur sa vespa, en direction de Souda où elle louait une chambre d'hôtel et recevait de très jeunes marins (il y a plus de femmes qu'on ne croit à avoir une prédilection pour la chair fraîche), Helga voulut bien entendu connaître l'expérience de ces passes initiatrices : le dépucelage de jeunes garçons en rut ne requiert-il pas lui aussi des qualités de didactisme, un savoir d'enseignant, tout le flair d'un métier ?

On vint nous rendre visite au palazzo. Par exemple, un jeune journaliste français avait fait le voyage de Crète pour recueillir les réflexions d'Helga sur la situation de l'université. Puisant dans des réserves d'humour pour répondre à ce grand échalas lunetté, Helga commença par critiquer « la suffisance des opinions » : « Je préfère encore, dit-elle, une université malade où l'on trouve d'honnêtes compétences et une arrogance mesurée, à une institution moderne et compétitive où ce qui importe avant tout est l'esprit de compétition et rien d'autre. » Satisfait de cette vindicte qui lui semblait un scoop, le journaliste repartit à Paris.

Nous rendîmes quelques visites. À George, le sergent de l'armée américaine en retraite qui s'était installé en face du palazzo ; à Andréas, l'architecte d'Athènes qui venait dessiner, loin des nuages plombés de la capitale, les plans d'une « cité interdite » qu'un gouvernement étranger lui avait commandée.

Cette activité mondaine et nerveuse laissait du temps à des explorations plus profondes du territoire de l'île. Helga insista pour visiter les ruines des grands palais minoens, à commencer par celui que Sir Arthur Evans avait reconstruit en ciment : le fameux palais de Knossos. L'incursion dans l'Histoire se doubla d'une excursion dans la géographie.

Levés à cinq heures du matin, nous partîmes à quatre dans une petite Datsun louée la veille : les deux « H », Hugo et Helga, maintenant aussi inséparables que la cigarette et son briquet arrondi, Pierre qui conduisait et Vivicka qui nous servait de guide.

Le palais de Knossos constituait aux yeux d'Helga la plus vivante expression d'une utopie. La mythologie du labyrinthe et du Minotaure mise à part, Knossos serait toujours un mystère non résolu d'archéologue, une île maudite. Mais de même qu'une boussole repère automatiquement le pôle Nord, Helga avait été attirée par ces ruines fragiles comme vers l'étoile incertaine d'une histoire paradoxale et indéchiffrable.

Elle avait tout lu — ou à peu près — sur son sujet. Elle avait même maintenant des projets de livre qui modifiaient celui qu'elle était en train d'écrire. Elle se demandait si l'on pourrait reconstituer l'archéologie d'une utopie dès lors qu'on disposait des éléments de base. Or, tout était là : le labyrinthe décrit par Strabon dans sa *Géographie* (livre XVII, I, 37), la langue incompréhensible, ce « linéaire B » pour lequel il restait à dénicher une petite Rosette. Ah, sans Rosette, Égypte que serais-tu devenue ?! Sans cette pierre bénéfique, sans cet ordina-

236

teur des langues, notre imaginaire en aurait été réduit à contempler une pyramide d'Histoire amputée de plusieurs siècles !

Irrésistiblement le reste de la voiture acceptait la méthode d'encerclement d'Helga ; méthode qui postulait qu'un lieu, une époque, un édit ou un livre pouvaient être le fondement essentiel de nos obsessions. Helga énumérait celles-ci une à une pendant qu'à ses côtés Pierre tenait le volant d'une main et lissait de l'autre sa barbe. « Les saunas ? On ne les a pas inventés. Les Romains ou les Grecs avaient déjà élevé le rite du bain au rang d'un art... » Vivicka, qui avait vécu à Los Angeles, parla mollement des fameux bains à remous californiens : « J'adore les bulles, mais tenir un verre dans un jacuzzi sans le renverser relève de l'exploit. Non, sérieusement, ce qui nous différencie des Anciens c'est que nous construisons n'importe comment ! »

Pierre protestait : « Tu n'as pas vu L'Aphrodisiaque, en tout cas ! » Mais Vivicka n'aimait pas être taquinée dans ses zones intimes, dans son domaine d'élection, l'architecture, car même si elle n'avait encore rien construit de mémorable, elle avait des idées de plan. Elle était venue en Crète dans le seul but de parfaire l'ébauche d'une théorie spatiale.

Écouter cette conversation qui n'avait de touristique que l'occasion et le site, ou la pureté insolente et bleue de la mer, évoquait un cours de vacances, voire une session de formation destinée à un étudiant qui a tendance à voir dans l'interruption estivale du programme une agression physique faite à son être sincère. Il faut rappeler ici une chose qu'on aura peut-être oubliée, dans l'enchevêtrement des paragraphes qui, par rapport à la masse imprimée, sont comme les dunes au sommet d'une plage de sable : ils attirent davantage l'attention qu'une surface linéaire posée à plat. Voyons bien qu'en dehors de l'ardeur mise par Helga pour aller à la découverte de plaisirs anarchiques, et en dehors aussi du zèle que je mettais à l'accompagner, Helga n'était venue en Crète que pour connaître le repos studieux de l'intellect.

Quant au plaisir de l'amour, ce suicide nécessaire, il venait en fait bien après le plaisir de la connaissance dans l'esprit d'Helga. Une heure passée à décrypter un texte antique, une heure de discussion sur un thème philosophique offraient, de même qu'une vraie page de littérature, plus de réjouissances qu'un orgasme bâclé. J'ai du mal à croire que le rachitisme de ma sexualité ait pu influencer la sienne. Car mon stoïcisme n'appartient qu'à moi. Je n'aimais pas seulement chez elle le personnage de l'intellect — cet individu du genre neutre, ce « zwischenstufe » indécis qui attire les convoitises des deux sexes et permet de les embrasser tous. Non, j'aimais savoir cette âme délicate prisonnière de sa gangue adipeuse, comme la mienne l'est de ses os. La force d'âme, j'en suis convaincu, repose toujours, au départ, sur quelque faiblesse, fût-elle physique. Dans le meilleur des cas l'intelligence est une revanche, bien que, dans certaines situations, elle paraisse une banale compensation. Mais je ne suis pas concerné. Je n'ai jamais été un étudiant boutonneux. Certes, j'ai eu d'autres difficultés. Mais ne comptez pas sur moi pour l'exposé d'un martyrologe. À quoi bon ? Ma maigre vie n'est pas plus intéressante que la vôtre (sans vouloir vous offenser).

Revenons donc à notre voiture qui, maintenant, est garée à l'entrée du site de Knossos. Nous en sommes sortis et nous avons acheté un plan verdâtre qui représente le palais en coupe, ses niveaux, ses jardins, ses bacs remplis d'éau, ses colonnes peintes. Ce même plan ornera plus tard la chambre d'Helga à la Villa des Verseaux pour dresser sa nostalgie de planète perdue, d'astre définitivement éteint.

Une âpre discussion s'était engagée entre Vivicka qui soutenait l'idée reçue que Knossos était un palais et Helga qui trouvait l'autre hypothèse plus séduisante, à savoir que c'était un tombeau ou un monument funéraire — à moins que ce ne fût les deux, tombeau mort et vivant palais, l'un superposé à l'autre.

Helga cita un livre du professeur Wunderbar à l'appui de sa théorie. Comment pouvait-on imaginer des hommes en train de vivre dans un palais sans ouvertures, au milieu de jarres géantes emmurées dans de minuscules magasins ? Et puis il y avait ces couloirs minuscules : comment croire qu'ils pussent convenir à une résidence de roi ? Pourquoi, enfin, fallait-il obligatoirement penser que les « baignoires » en terre cuite découvertes dans les fouilles étaient de véritables baignoires ? Si elles avaient eu une fonction lustrale, comment expliquer qu'on ait découvert dans certaines jarres des ossements humains ? Et Helga faisait remarquer que la découverte de Sir Arthur Evans était intervenue en plein victorianisme, à un moment où l'exaltation de l'hygiène glorifiait le naturel des cultures primitives, comme maintenant, une exaltation d'ordre érotique court dénicher des libertés sexuelles chez ces mêmes peuples sans se munir d'autres preuves que celles fournies par une borne phallique ou bien une poitrine nue et sans jamais envisager que ces indications étranges puissent démontrer la proposition inverse. Enfin, enfin, il y avait ces innombrables fresques d'oiseaux et de dauphins, ces griffons, ces feuilles de lotus, cette scène de tauromachie : tout cela était-il bien une célébration de la vie terrestre ? Et si ces représentations avaient eu pour finalité d'accompagner les morts dans l'Au-delà ?

Bref, de fil en aiguille, Helga — ou Ariane — détruisait la légende du palais de Minos et agitait l'hypothèse plus inquiétante d'un tombeau de luxe qui eût contenu dans quelque jarre, la trace de Glaucos, l'un des fils de Minos (celui-ci, trop friand de miel, était tombé par mégarde dans l'un des pots géants).

« Les Égyptiens avaient des pyramides, disait Helga. Rien ne dit que ce labyrinthe n'en ait été la version crétoise. » Et Helga insistait, rappelant que la plupart des symboles de la civilisation minoenne (les lotus, les taureaux et jusqu'à l'usage de hiéroglyphes) étaient présents dans la civilisation égyptienne. Hérodote fut pris à témoin, dans le livre II de ses *Histoires,* où il est question d'un labyrinthe égyptien : « Les pyramides sont des structures étonnantes ; chacune d'elles équivaut à plusieurs des plus ambitieux monuments de la Grèce ; mais le labyrinthe les surpasse. Il comprend douze cours recouvertes. À l'intérieur, le bâtiment a deux niveaux et possède 3 000 pièces dont la moitié sont souterraines, l'autre moitié au-dessus d'elles. On me fit voir les pièces de l'étage mais je ne veux parler des pièces souterraines que sur la foi des Égyptiens qui en avaient la charge, et

240

dont ils disaient qu'elles contenaient les tombes des rois qui avaient construit le labyrinthe. »

L'idée n'était-elle pas séduisante, de se dire que chaque pièce des vivants était reliée à une pièce dans le monde des morts ? En tout cas, cette vision d'une résidence-tombeau, d'un tombeau que l'on avait mis une vie entière à construire, emporta l'adhésion générale, malgré les fortes réticences de Vivicka.

Il fallait voir Helga, à l'abri des franges d'un chapeau de paille et de ses lunettes noires, se glisser dans chaque pièce ouverte au public, puis s'accroupir au milieu de la cour centrale comme un lutteur de sumo sur un ring. Elle mettrait une main au-dessus de son front puis se fabriquerait une visière de fortune pour mieux examiner quelques détails : emplacement des colonnes, taille des pierres et entaille des moulures.

Elle s'était mise à gratter légèrement les plaques d'albâtre et de gypse du Mégaron de la reine lorsque, soudain, elle déclara tout haut : « Impossible qu'on ait pu vivre là-dedans. Le gypse est une pierre trop friable. Ça se casse tout seul, ça se dissout dans l'eau. » Avant la fin de notre visite s'installa définitivement en Helga une certitude mêlée de chagrin. Knossos ne ressemblait pas à ce qui l'avait fait rêver. L'Histoire était aussi menteuse que la vie. Elle ne cessait de se contredire et de défaire ce que d'autres avaient cru éternel. Il n'y avait pas plus de « fin » à l'histoire de l'Histoire qu'il n'y avait de « sens » aux circuits tordus de l'existence.

Helga alla s'asseoir à l'ombre d'un pin parasol, sur un tapis molletonné d'aiguilles (paradoxale oxymoron). Elle enfonça son visage entre ses mains. Elle paraissait pleurer mais en fait, c'était le vent qui la contraignait à plisser le front et à offrir au silence de ce paysage suffocant une tête volontaire. Elle avait, dans cette position, quelque chose d'une prêtresse qui vient de rater un sacrifice.

Je m'approchai d'elle :

« Qu'est-ce que tu as ?

— Oh, rien... Mais je trouve cet endroit déprimant. C'est terrible de voir quelque chose d'aussi monumental et de se dire que ça n'a jamais vraiment existé. D'un côté on a besoin de rêves ; d'un autre côté la vie n'est faite que de chimères brisées. »

Sur le chemin du retour, Helga demanda à Pierre de s'arrêter au bord d'une plage déserte. Elle voulut rester seule au moins une heure. Elle insista, en dépit de nos protestations et de mes questions. On la vit s'éloigner le long d'un bord de mer infini. À voir son air de chien battu, j'eus l'impression que sa propre nostalgie s'était heurtée à une autre, plus collective, mythologique ou intouchable ; que le fil d'Ariane s'était emmêlé en elle, embrouillant ses pensées et déjugeant certaines de ses idées préconçues. La déception de Knossos était comme une déception amoureuse. Était-ce l'effet de cette reconstruction grotesque ? Ou bien le mythe attaché à ce palais ? Non, c'était le simple fait d'un rêve devenu concret qui annulait tout pouvoir onirique, toute incertitude. L'expérience de Knossos n'était pas comme les autres. Utopie reconstruite sur un abîme, elle n'offrait rien de palpable, rien d'utopique. Elle était trop ancrée dans le Temps et l'Histoire, alors que, secrètement, on eût souhaité qu'elle ne fût qu'un nuage. En d'autres termes, Helga regrettait d'avoir eu devant elle cette fausse image de l'image désirée. Maintenant elle piétinait l'écume blanche de la mer et les grains râpeux du sable ; ses mains frottaient de temps à autre la surface ridée de l'azur afin d'éclabousser un corps qui allait nu. Enfin elle s'allongea sur le sable, le dos face au soleil, les cheveux repliés en une longue vrille sur un côté de la nuque et si elle ne nous entendit pas, lorsque nous hurlâmes son nom à plusieurs reprises depuis le bas-côté de la route, c'est parce que le vent, le soleil et l'eau faisaient entendre l'un de ces murmures assourdissants dont on peut jouir mais que l'on ne saura jamais décrire (et dont l'engourdissement qu'ils provoquent convient aux âmes blessées qui veulent à tout prix être envahies par un bruit de fond plus nocif que celui qui les avait d'abord atteintes). C'est dans l'atmosphère marine si particulière de cette région de la Méditerranée, et plus agitée qu'on ne l'a cru volontiers, c'est dans cette opacité lourde qu'Helga parut entamer véritablement un processus de désincarnation. Quelque chose muait en elle qui aspirait à l'extraire d'une carapace légèrement rougie par le soleil.

Sur la plage, nous nous approchâmes d'elle comme on va à la rencontre de quelque cétacé sans défense qui s'est malencontreusement échoué et qui s'attend, patiemment, à être bientôt dépecé. Un peu plus tard, sous la main calleuse de Pierre qui épandait sur son dos meurtri, tout en le massant, un réseau d'huile d'amandes douces, Helga paraîtrait prendre plaisir, dans le confort venté du palazzo, à cette attention physique. Elle ne disait plus rien et refusait d'expliquer son mutisme.

Dans la nuit, elle eut de la fièvre et fut saisie de frissons. Pour la première fois depuis notre arrivée en

Crète, elle laissa Marc s'approcher d'elle et lui préparer une tisane de dictame, laquelle se révéla concluante et fit baisser la fièvre.

Dans la semaine qui suivit, elle rentra un peu plus en elle-même comme en une coquille hélicoïdale ; elle s'imposa une discipline de fer pour travailler et elle alla plus rarement — c'est-à-dire d'une façon moins dispersée — chercher ses plaisirs, comme si le désir trop violent qu'elle avait eu de ces amours trop rapides s'amenuisait au fur et à mesure qu'une sensation d'angoisse venait l'accompagner et se confondre avec lui. Alors je compris qu'elle profitait de son éloignement de Paris pour mieux faire le point sur sa vie et qu'en même temps notre existence communautaire agissait en elle comme un fluide vital ; je sus qu'elle nous avait entraînés ici pour différer le moment où elle serait confrontée avec les forces contradictoires et débilitantes d'un corps malade ; que sa maladie gagnait du terrain et commençait à jouer une guerre des nerfs avec elle. Avec les graves brûlures qui pelaient son dos autrefois laiteux Helga avait vu une nuée de petites taches violines éclater sur ses mains et son buste comme autant de myrtilles égarées dans un champ desséché. Pierre vit d'abord dans ce rush une réaction allergique au soleil. Helga n'y prêtait guère attention. Elle se plaignait seulement d'être fatiguée, d'avoir une affreuse envie de dormir et de se sentir « vidée ». En fait elle trouvait insupportable l'idée de cette fatigue et son intrusion dans l'horaire de ses journées. Pourtant, le séjour insulaire représentait une parenthèse utile, un passage, une transition, un élixir de vérité. On a pu croire jusqu'ici — à tort, si c'est le cas — qu'Helga manifestait un certain détachement vis-à-vis de ce monde et ne croyait à aucune existence d'un « En haut » méritoire — cet Éden riche des pauvres — et qu'elle s'intéressait davantage à sa propre personne qu'à celle des autres. Non seulement Helga n'était nullement insensible à la notion de souffrance mais, occasionnellement elle avait apporté son soutien à telle ou telle cause et elle l'avait toujours fait sans illusion. Cette attitude initiale tournait à l'indifférence peinée, et Helga eut tendance à voir dans sa condition corporelle la preuve objective des malheurs du monde. Et jusqu'à un certain point, je crois qu'elle en fit une vraie maladie. Elle me fit penser alors à l'un de ces joueurs intoxiqués qui restent immobiles et quasi impavides pendant que le croupier engrange sur le compte de l'établissement de hasard la fortune qui vient de causer leur ruine. Au moins, au casino, un vrai joueur peut-il espérer, alors que le cylindre doré de la roulette lui fait tourner la tête et que le croupier tripote nerveusement des pyramides de bakélite, qu'un événement va se produire et, selon les humeurs de son caractère, le faire perdre ou gagner un peu plus. C'est ainsi que des gens se suicident lorsque, après avoir joué trop longtemps avec le hasard, ils se rendent compte que celui-ci était fâché avec eux dès le départ. D'autres joueurs préfèrent assister graduellement à l'effondrement de leur fortune — comme si celle-ci constituait une attache extérieure à eux-mêmes —, et la certitude, l'acharnement qu'ils mettent à perdre leur procure en effet une jouissance étrange, de celles qu'on éprouve d'avoir pu simplement dire : « J'ai perdu. Mais j'étais riche. » Pour étouffante que cette richesse ait pu être, elle devient soudain une nostalgie et presque une enfance délicieuse. Ces joueurs-là qui ne jouent pas pour vaincre un adversaire (sinon celui qu'ils veulent miner en eux-mêmes), qui jouent pour le pur esthétisme morbide du jeu, peuvent envisager de poser, un soir, sur un tapis de feutrine verte, un triangle de couleur ou bien un carré noir qui chacun représentent le prix qu'ils estiment pouvoir accorder à leur être physique ; finalement, c'est avec leur propre vie qu'ils jouent, c'est leur être qu'ils veulent exhiber sur les cases colorées. Ils introduisent dans l'espace du jeu un simulacre de suicide, une apparence de décadence et parfois, c'est toute une utopie qui s'écroule avec eux. Telle une reine déchue, ruinée au jeu et qui n'a plus que d'instables rentes pour vivre, ses derniers bijoux à promener sur elle, sur la vitrine de son buste, Helga, dont les rêves commençaient de fondre à la manière d'une peau de chagrin, se mettait à regretter le temps où elle pouvait rêver de métamorphoses sans y croire vraiment.

Dans la nuit je l'entendis toussoter d'une toux nerveuse, retenue. Avait-elle pris froid ? Je m'approchai d'elle. Elle était en train de fumer. Elle tirait de lentes bouffées grasses sur sa cigarette et des cendres neigeuses retombaient sur le patchwork des livres éparpillés sur son lit.

« Tu n'arrives pas à dormir ? demandai-je.

— Non, dit-elle, je réfléchis à ce que je pourrais faire de ma peau. Je suis à bout de forces. Et cette histoire, ce livre qu'il faudrait écrire... J'ai dû en épuiser le sujet... Je ne sais même plus si ça m'intéresse encore... J'ai l'impression que nous n'avons plus rien à faire dans cette île... Ou alors c'est que j'ai la maladie de Don Quichotte : j'ai la bougeotte, je ne tiens pas en place. »

J'ai beau entrer en scène pour interrompre ce soliloque dépressif, elle insiste :

« On a toujours un moulin en vue. Ce qui est étrange aujourd'hui, c'est que je ne vois plus rien devant moi : ni thèses, ni moulins, ni projets. C'est pas fort pour un prof, hein ?

— Mais pourquoi dis-tu ça ?

— Parce que c'est un peu paradoxal de passer sa vie à vouloir éviter les idées des autres et finalement être condamné à les commenter ou à les emmagasiner.

— Mais non ! dis-je. Les idées des autres n'existent que lorsqu'on les commente. Et si je suis là c'est grâce à tes commentaires. »

Helga parut surprise par ma remarque — ou bien déçue par l'indigence de mon argumentation. Certes elle m'aimait bien. Certes c'était grâce à son séminaire d'études que j'étais rentré dans sa vie. Mais en quoi cela pouvait-il annuler son sentiment d'échec ? Comment supprimer en elle cette idée qu'elle n'était que le maillon inutile d'une chaîne de compromis ?

Je perçus assez distinctement sous la masse d'énergie développée par Helga, une faiblesse semblable à la mienne qui se réveillait maintenant, une volonté de néant, d'insignifiance, d'effacement et d'oubli que seul un esprit religieux ou malade peut élever à une forme de sainteté. Jamais je n'avais entendu Helga se plaindre de son sort, appauvrir son image, insister sur ses manques ou ses frustrations. Il y avait quelque chose d'incohérent dans son désir de revendiquer par sa présence une absence fondamentale et une sorte d'indifférence à soi.

Elle passa les jours suivants prostrée dans le palazzo, sortant le moins possible, évitant d'aller à la plage ou d'en mentionner l'existence, annulant toute proposition de cocktail ou de rendez-vous mondain (qui impliquait de marcher sur le long trottoir de planches du port, suspendu entre les yachts et les bateaux de pêche, dans un bassin couleur de goudron où l'eau avait des reflets vulgaires.)

L'absence d'Helga créait un manque. Kyriakos lui rendit quelques visites impromptues, vers cinq heures du soir, au moment où le soleil commençait à rougir l'horizon du port. Helga l'invitait à boire un cocktail, à s'asseoir — mais il restait debout, gesticulant comme un jeune paon dans le grand salon, puis, les muscles en extension, il s'appuyait sur la rambarde de la fenêtre, poussait de grands cris de joie naïve dans son anglais chaotique, sans que l'on sache si cette joie était sincère ou si elle exprimait un désir intéressé. À sa grande déception, Helga le congédiait poliment quand il avait fini son verre (rempli au moins trois fois). Avec le grand sourire qui fendait la pomme arrondie de son visage, Helga lui expliquait qu'elle était fatiguée et qu'elle avait du travail. « Work ? » demandait Kyriakos en fronçant les sourcils. Comment pouvait-on avoir du travail à faire dans un palazzo ? De quel travail s'agissait-il ? S'excusant presque, Helga chuchota le mot « writer » que son interlocuteur reprit avec fierté et elle eut soudain le sentiment ridicule de se mentir à elle-même, de ne pouvoir conjuguer, chez un lecteur incrédule, la célébrité que l'activité de l'écriture suppose — comme si écrire n'était possible qu'à travers la présence du succès alors que justement, ce qui s'est écrit de mieux l'a été souvent contre la renommée.

Kyriakos parti (ou un autre), Helga se tournait vers ses

livres, ses plans de palais — toute cette tragédie grecque — dans l'espoir qu'elle découvrirait quelque indice, interprétation ou rêve non déchiffré. S'il le fallait elle mettrait tout son intellect dans le déchiffrement d'une formule avec l'enthousiasme d'un Casanova qui ne cherche dans une femme que l'image de celle qu'il rencontrera ensuite.

Car, entre le savoir et l'amour, entre les certitudes mouvantes du savoir et les mirages assurés de l'amour, il y a plus qu'une connivence. Et si l'on aime en subtiliser la clé, jamais on ne cherche à en dissimuler le contenu.

Enfin, s'il est prouvé que de telles recherches favorisent le mutisme et sont ennemies de la vie en société, il est certain aussi qu'Helga trouva dans le secret de l'étude et de la méditation des réserves immenses de silence et d'autonomie. L'île accentuait cette entrée en elle-même effectuée par Helga. Comme le dromadaire et sa bosse, n'avait-elle pas constitué des provisions de paroles et de discours qui rendaient superflue chaque conversation ?

Sur ce beau rivage de Crète, les dernières sorties que fit Helga avant notre retour ne furent ni verbales ni mondaines ni non plus touristiques. Enfin, elle accepta, sur la double injonction de Marc et de Pierre, quelques randonnées en montagne qui cachaient mal leurs prétextes de pharmacopée. Une herbe plus rare que le dictame et que nous baptiserons « Y » (I grec — car il y a déjà eu trop de latin dans ce livre) sommeillait dans ces vallées encaissées. Et comme Pierre s'enthousiasmait plus que de nature (et plus que la nature elle-même) pour la partie herboriste de son art médical, Helga, qui avait une conscience d'autant plus vive de l'air du Temps que la douleur diffuse qu'elle sentait dans son ventre était acérée (avec les ballonnements de ses intestins désormais diarrhéiques — mais n'était-ce pas « toute cette huile », lui disais-je, toutes ces moussakas ?), Helga, donc, se pliait au désir du médecin de la tribu. Mais pendant que Marc et Pierre chercheraient en vain l'herbe Y, cette voyelle absente, incolore et traître, Helga me chargerait de collecter des graines et des spécimens pour l'herbier général des Verseaux. Peut-être que sous la serre (qui, à l'automne, serait toujours une table convoitée), profitant des rayons de ce zèbre de soleil, l'un ou l'autre des plants que nous aurions ramenés laisserait pointer une petite pousse et donnerait un nouvel essaim de graines ou bien promettrait de fleurir plus tard, à l'abri de l'humidité nuageuse de Paris. Verrait-on l'une des vingt-sept espèces de colchiques que compte la Grèce, et dont nous n'aurions trouvé qu'une dizaine, repousser sous un autre ciel — non plus celui de Médée mais celui d'Helga — et avouer ses teintes violines dans l'univers artificiel qui ne l'aurait pas vu naître mais pourrait sans doute la préserver d'une pollution acide, d'une morsure de chèvre ou bien d'une trop grande sécheresse ?

Ainsi, nous ferions émigrer — leurs racines terreuses soigneusement emmaillotées dans de petits capuchons de plastique — des échantillons de pavots et de l'artémis de Crète (banale camomille au nom prétentieux) ; et puis des iris ; des pancratiers maritimes dont les fleurs blanches, effilées et odoriférantes ressemblent aux vibrisses des félins.

Il est légitime de s'intéresser aux motifs profonds d'une telle passion pour la botanique. Car se passionner brutalement pour la nomenclature des fleurs, comme d'autres se sont plu à capturer d'innombrables variétés de vanesses, de vulcains et de morios, ne s'impose qu'à des gens chez qui la connaissance de toutes les encyclopédies du savoir et de l'expérience a viré à l'ennui, à la lassitude puis a mué, lentement, en un ultime et définitif désespoir. Tous les collectionneurs sont gens tristes et inconsolables.

Probablement de telles sensations affleuraient dans les couches les plus abordables de la conscience d'Helga. Oh, elle n'était pas blasée et elle les avait proférés ces petits cris victorieux (veni, vidi, vici) que pousse tout personnage entêté et qui sont là pour symboliser les chimères de leur auteur. Mais si, aujourd'hui, elle paraissait éloigner jusqu'au souvenir de ces trois petits V ce n'était pas par manque de volonté mais parce qu'une force étrangère à sa volonté, plus forte qu'elle, plus intérieure et immédiate et à quoi tout se ramène, s'était mise à enfler démesurément. C'était une présence plus ou moins charnelle, osseuse ou sanguine — quel cauchemar de se dire que ces trois choses réunies composent notre être physique ! Cette présence allait de pair avec une déspiritualisation, absorbait la volonté active, niait l'histoire passée, inscrivait son mensonge par tous les pores pour n'imposer qu'une seule vérité : cette force c'était l'idée même — si repoussante et monstrueuse, si dictatoriale — de la maladie, qui est au corps ce que le mal est à la religion et où la frontière entre le pasteur et le confesseur sera toujours floue. Pareillement, ou plutôt parallèlement, la maladie — un crime commis contre soi et malgré soi (les esprits culpabilisateurs sont priés de se taire) — la maladie, donc, oscille entre le délit mineur et la tuerie sauvage et installe en nous un domaine insaisissable où l'auteur du forfait (virus, microbe ou cellule folle) ne l'emporte qu'à l'arraché sur la victime. Même traqué, nommé, vaincu, l'agent incriminé d'une maladie sera toujours indécelable et irréel aux yeux du malade ; celui-ci ne pourra que se demander, avec un terrible sentiment d'abandon, pourquoi c'est lui et non pas un autre organisme qui est atteint. Et s'il ne se pose cette question d'autres se chargeront de trouver à son mal des circonstances atténuantes. Toute une population charitable viendra à son chevet le décharger de toute responsabilité et l'inscrire au tableau des pathologies. C'est alors seulement que peuvent intervenir les fleurs. Ce sont elles qui viendront à son secours. Leur intercession rituelle (anniversaires, accidents, mariages, succès ou enterrements) prend alors tout son sens. Les fleurs sont des consolatrices et de grandes pleureuses. Mais qui a dit que la beauté consolait ce qui est incurable ? Il reste, cependant, que là où une fleur, un papillon et la tendresse d'un pelage domestique possèdent un indiscutable pouvoir émollient, nulle science ne saura jamais réussir.

Deux jours avant notre départ, et dix jours après l'épisode de l'insolation qu'avait connu Helga à la suite de la visite de Knossos, ses mains étaient toujours couvertes de petites taches violettes sur lesquelles le soleil avait posé le fer de ses brûlures. L'huile d'amandes douces n'y faisait rien. Les cataplasmes de graines de lin, les décoctions de millepertuis si chaudement recommandées par notre hôtesse au physique d'immortelle (la plante), sans oublier les onguents à base d'arnica et de menthe fraîche : rien, absolument rien dans cette pharmacie « naturelle » ne semblait agir. Que de mensonges parfumés la botanique peut dissimuler dans son empire ! Les propriétés supposées de certaines plantes affichent une terrible impuissance.

Helga avait souvent redouté le moment où elle devrait renoncer à sa médecine personnelle pour se confier à l'autre, la médecine « praticienne », ce monstre glacé, qui n'a pu exister que parce qu'il a paru nécessaire d'authentifier, avec la précision d'une institution, le lien impossible qui unit le malade à son médecin, comme la prostituée est liée à son client, le juge au criminel, l'homme de religion à l'incroyant. Pierre, dont la médecine n'était jamais vraiment entrée à la Villa des Verseaux, parce que Helga s'était employée à la refouler souverainement, entretenait vis-à-vis de l'Ordre de sa profession des rapports méfiants. Pourtant, ce qui avait pu être la condition d'une entente entre lui et Helga deviendrait une terrible source de malentendus quand un vrai problème dépassant leur compétence allait se présenter. Déjà, avant le voyage de Crète, Pierre avait conseillé à Helga de prendre le chemin d'un diagnostic.

J'examinai longuement les mains purpurines d'Helga alors que, repue d'un festin trop fastueux, elle s'était endormie à l'ombre d'un parasol, sur la terrasse du toit de notre palazzo. Les petites tavelures, les alvéoles glissées dans le pli de l'épiderme et sur lequel elles paraissaient jouer une partie de dominos — des cases obscures succédant à des cases plus claires — avaient toutes les apparences d'une métamorphose incomplète.

La poitrine d'Helga se bombait et retombait en catastrophe. J'entendais des accrocs dans sa respiration. Les taches incriminées déposaient leurs nuages colorés sur les mirages utopiques de notre culture tribale. D'instinct, je ne pus m'empêcher d'établir un lien entre le découragement moral d'Helga et son affaiblissement physique, comme le font tous les sorciers de la psychologie moderne. (Psyché vient excuser ce que Soma ne veut pas avouer.) Enfin, trêve de balivernes, je comprenais que le désir de légèreté d'Helga, sa volonté de faire maigrir le monde et de le vider de ses matières mortes était empreint désormais d'une nouvelle gravité qui allait la clouer au sol. Je vis, non sans ressentir une farouche terreur, que mon Helga allait connaître une « maigreur » bien plus louche que la mienne. Car ma maigreur est mon chapeau naturel. Elle n'a rien de cette chose acquise à la sueur d'un régime ou d'une longue fatigue. En ce sens, ma maigreur est moins inquiétante que la maigreur relative d'Helga ne pouvait l'être.

On aura compris qu'aucune théorie ne saurait me satisfaire. Car aucune n'est venue à mon secours. Pourquoi ferais-je appel à quelque chose qui ne vient pas à ma rencontre ? Non, ce que je veux expliquer c'est l'inexplicable, cette cristallisation physique qui transcende le physique. Helga et moi n'avions-nous pas trouvé dans notre corps même la contradiction effroyable qui sépare la hauteur de nos désirs esthétiques de la laideur du réel ? Et comment a-t-on osé proposer à la démocratie de l'esprit la tyrannie de cette contradiction ? Je vous le demande ! Croit-on vraiment (car c'est la logique de cet enfer) qu'un être laid et méchant — mais pourvu de belles et nobles pensées — est assez armé pour nous sauver de la

barbarie ? Foutaises ! Contentons-nous d'une certitude :
il n'y a rien de plus barbare que la beauté de la beauté.

En laissant mon regard naviguer à la surface de la peau
de bébé flétrie de mon Helga, en évaluant les dégâts subis
par son corps « nouveau », je me mettais à désirer
furieusement l'ancien, celui qu'elle ne voulait pas voir et
qui maintenant fondait, comme si ma présence infime à
ses côtés ne lui suffisait plus. Quelque chose en elle avait
décidé de me ressembler dans le même temps où quelque
chose en moi s'efforçait de lui ressembler. Ainsi les trois
bourrelets de graisse — car, de muscles, évidemment, il
n'en serait jamais question — qui ondoyaient au-dessus
de mon nombril me paraissaient aussi monstrueux que le
squelette charnu qui menaçait de prendre possession de
l'enveloppe adipée d'Helga. Par quelle voie aérienne ou
terrestre, par quelle secousse interne, je perçus qu'un
phénomène d'inversion était en train de se produire entre
nos deux dissemblances demeurera toujours mystérieux.
Sait-on bien ce qui nous attire dans une direction plutôt
que dans telle autre ? Il reste qu'une sensation de gain
vint se greffer sur une impression de manque ; que les
bourrelets dodus de mon « tummy » semblaient faire
honneur à une rotondité modèle — et accomplir la moitié d'un chemin que la silhouette fuyante d'Helga par-
courait en sens inverse pour mieux me rejoindre dans
mon rachitisme fondamental. Bien étrange compromis,
avouons-le. Qu'avec un peu de graisse sur mes os et
quelques plis avachis sur sa chair une alliance absolue se
soit conclue entre Helga et moi n'a guère d'importance
dans cette histoire. Car ce qui compte c'est la nature

255

inversée du cliché qui en a résulté. Les images, désormais, vont pouvoir imploser. Vous n'allez plus reconnaître Helga ni vous souvenir de mon premier visage. À la façon de certains animaux qui attendent le printemps pour changer de peau après quelques reptations discrètes, nous échangeâmes Helga et moi des rôles que j'aurais crus volontiers éternels : sa force/ma faiblesse. Sa maturité/mon angélisme. Son pouvoir/ma transparence. Son bavardage/mon silence. Tout serait inversé. C'était, par un subtil déplacement au sein de vases communicants, le symptôme d'un nouvel équilibre amoureux.

Depuis la fuite de Knossos, Helga s'était claquemurée si profondément en elle-même qu'elle donnait l'impression de n'en plus vouloir sortir et, tel un papillon soudain pris de nostalgie pour son ancienne chrysalide, elle adopta cette réserve boudeuse si caractéristique des grands malades. Elle faisait la moue. Elle ne voulait voir personne. Ne parler à personne. L'obsession qu'avait développé en elle le spectacle des taches sur ses mains l'avait comme paralysée.

Sans ouvrir les yeux elle me dit :

« Il faut que j'aille à l'hôpital. Je voudrais que ce soit toi qui m'accompagnes. »

Puis elle retourna à son silence, alors que déjà, du fond de la baie, une touffeur malsaine qui s'était accumulée pendant la journée prenait de l'altitude, fixant à l'horizon ses nuages jaunasses et poussiéreux et agitant autour de nous un tourbillon d'air qui s'engouffra dans la toile du parasol. À l'étage au-dessous, une fenêtre claqua, pareille au couvercle d'un coffret qui, sans prévenir, choisit d'embrasser la serrure et se referme violemment. Le vent faisait pression sur mon ossature ligneuse, je me sentis déporté sur le côté mais quelque chose de plus fort que le vent fixa au sol mes jambes comme des piquets plantés en terre.

Cette relative stabilité me fit penser aux quelques grammes d'embonpoint acquis chèrement qui semblaient compenser à mes yeux la perte d'énergie qu'Helga sentait en elle, sans pour autant modifier le contrat d'altérité qu'il y avait entre nous. Le même écart phénoménal nous distinguerait toujours, même si l'effort fait pour le réduire rendait ce dernier plus sensible.

Cependant j'étais inquiet de constater la modification de nos volumes physiques. Je réalisai à quel point les colosses sont fragiles et pourquoi le désir de quelque gigantisme m'était, à travers Helga, plus nécessaire que le reste. Plus vital aussi.

Je voulais qu'Helga fût toujours solide et forte et que sa graisse demeure l'expression de cette solidité.

Helga attendrait que la nuit fût complète pour redescendre dans les étages habités du palazzo. Elle attendrait que toutes les strates du coucher de soleil se fussent effondrées une à une devant elle, comme si la lente décomposition du jour était le panorama d'une déchéance plus intime.

Enfin, je caressai longuement ses mains (et dans mes baisers il y avait une supplication — « guéris vite ! Ne t'inquiète pas ! »). Puis, tout en lorgnant d'un œil torve en direction du port de Kydonia, de ses bateaux de pêche rouillés, de ses maisons aux tons fauves, mon regard bifurqua sur la gauche, vers les montagnes boisées qui surplombaient la ville, montagnes enrobées de vapeurs mauves et de fumerolles. Soudain, j'eus l'impression qu'un trouble de la vision venait de s'enraciner dans une aventure plus réelle car je vis en effet monter le long des premiers contreforts rocheux entourant la ville des colonnes de fumée, puis quelques braises ardentes — de minuscules points rouges sur le tapis assombri du ciel. Bientôt, ce ne fut plus qu'un vaste feu de forêt progressant à la vitesse du vent et dessinant les éléments d'escarboucle d'une ceinture vivante. La ville fut plongée dans le noir absolu, quelques instants après. Des cris remontèrent depuis la jetée du port jusqu'à notre terrasse. J'eus le sentiment exalté d'assister au développement d'une mauvaise pellicule dans une chambre noire. Helga regarderait, longtemps fascinée, cet embrasement de la nature ; son regard — l'éclat rubescent d'un Néron qui vient de donner l'ordre d'incendier Rome — était plus inquiétant que la catastrophe elle-même. Oui, les yeux d'Helga étaient pleins de l'orgueil d'une décadence prochaine et de la certitude attristée que cette terre de Crète en train de brûler devant elle était plus sauvage, plus dure, plus décevante et plus irréelle que la mythologie enfermée dans ses soubassements. Et pourtant, cet incendie était dérisoire à côté du temps qui avait brûlé, brûlé, et fait s'évaporer les volumes immenses de nos rêves.

V

LES CHAMBRES

Jamais nous ne sommes mieux que dans une chambre sombre, lorsque la lumière arrive filtrée, tamisée et sous forme d'épure et qu'elle donne l'impression de vouloir rester en dehors du spectacle qui la dépasse. Car certains spectacles sont plus violents qu'une flaque de lumière éblouissante et certaines scènes s'accommodent davantage du liquide de l'obscurité que de la sécheresse du soleil. Pourquoi fermons-nous les yeux pendant l'amour ? Par quel mystère l'amour est-il la grande « amaurose », cette cécité transitoire ? Et pourquoi choisissons-nous d'habiller nos morts de couleurs ternes, ainsi que leurs survivants ? Serait-ce que les grandes émotions sont plus fortes dans le décor qui semble le plus éloigné d'elles ?

La lumière du jour possède des qualités de maigreur qui donnent à chacun de nos gestes un aspect grossier et empesé. Toute émotion un peu noble — donc mélancolique — (dans l'amour il y autant d'émotion triste ou de douleur feinte que de vraie jubilation) recherche pour son salut les méandres épais du poussah de la nuit. L'obscurité habille, grossit, étreint, embellit, arrange, muscle, exagère sans faire de discrimination. Lumières éteintes, il est plus facile de prendre connaissance de son corps et d'exposer à la tiédeur des draps le souffle animal qui nous apparente à une autre espèce qu'à celle que nous croyons représenter. Une digression (Ah ! une digression, cette « lumière de la lecture » du bon pasteur Sterne) pointe ici ; digression qui dirait : « L'obscurité est " animale " et le jour " humain ". » À la niche, de telles sottises ! Car la colonne abrupte du jour est aussi animale que la bedaine de la nuit ! Et trop de sentiments humains ridicules traînent ici et là dans les livres.

Heureusement, là où nous allons entrer dans quelques paragraphes ne comporte rien de trop animal ni de trop humain. Non. L'hôpital, puisqu'il faut le nommer, viendra jouer dans le destin des personnages maladroits et imparfaits que nous sommes le rôle de l'Ange dénonciateur. Nous serons bientôt submergés par les formes troubles de ses ailes, à mi-chemin de la vie naturelle et d'un Au-delà que personne n'a jamais entr'aperçu, sous l'emprise d'une fausse lumière et d'une fausse obscurité — milieu « tépide », donc, tiède, où chaque chose est soumise à l'accord d'une autre ; où des principes contradictoires cohabitent ensemble ; et où ce qui demeure humain est sans cesse compensé par tout ce qui n'a jamais cessé d'être animal.

Luminosité blafarde, chambre aseptisée et lit surélevé : c'est donc à cela que serait confrontée Helga au retour de Grèce, lorsque Pierre, qui avait soupçonné l'existence d'un désordre sanguin dans son être affaibli, prit rendez-vous pour elle chez l'un de ses confrères cliniciens : le docteur Witz.

Les analyses faites juste avant le voyage grec s'ajoutant aux nouvelles « explorations » entreprises, on proposa à Helga de se soumettre à un séjour hospitalier pour y voir plus clair dans ses anomalies.

À ma grande surprise, Helga ne protesta pas. Elle paraissait même étrangement résignée et elle accueillit avec un certain enthousiasme la promesse de vérité qui était agitée devant elle — comme une babiole, un colifichet ou une perle de verre, et comme si le diagnostic qu'on lui communiquerait lui semblait une récompense légitime et méritée. Peu importe que celui-ci fût en proportion d'un teint spectral, à peine rougi par le soleil de Crète : l'essentiel était de disposer d'une sentence médicale, sans laquelle, du reste, on ne peut prétendre au statut de malade, depuis que l'Académie se mêle de faire la liste de nos pathologies.

Passé le vieux bâtiment mansardé aux airs familiers de bibliothèque et de caserne, puis l'allée de grands platanes · entre lesquels sifflait une nappe d'humidité chaude, nous nous retrouvâmes, au terme d'un périple forestier dans un domaine de verdure et de frondaisons, devant la porte vitrée d'un petit immeuble transparent de deux étages, sur la façade duquel on voyait se profiler les jambes hésitantes d'un malade en pyjama, les pieds d'un fauteuil de chrome, la masse brune d'un poste de télévision, le bonnet pointu d'une infirmière et la silhouette figée d'un visiteur crispé.

Si je pouvais comprendre le besoin qu'avait eu Helga d'être accompagnée par son plus fidèle Hugo — bien piètre figure —, j'avais du mal à me sentir tout à fait à l'aise et ce, pour une cause totalement extérieure à Helga. Car en croisant dans ces allées vertes plusieurs malades à l'apparence si fragile (et si fantomatique dans les plis flottants d'une robe de chambre ou d'une longue chemise), je retrouvai d'instinct la hantise terrorisée que j'avais toujours eue du monde de la clinique. Non pas que leur réalité d'éther, de chlore ou de formol me fût au fond si insupportable — j'aurais à plusieurs reprises la conviction que certaines personnes se servent de cette atmosphère comme d'une drogue —, mais la seule idée d'avoir à promener mon propre fantôme au milieu d'autres spectres me déprimait absolument, et ce pour une raison plus matérielle que toutes les autres · c'est que personne n'a été et ne peut être plus maigre que moi, même à l'article de la mort, quand la maigreur n'est plus qu'une terrible cachexie.

Aussi Helga donnait-elle l'impression, en marchant avec moi, d'accompagner un malade apeuré, et je crus un instant que la perception de ce renversement suffisait à la rassurer. D'ailleurs, comme il était prévisible, l'infirmière (une petite nerveuse aux mollets d'acier) s'adressa d'abord à moi et non à Helga, provoquant l'un de ces malentendus qui, par leur fréquence ou leur répétition, invitent à prendre toute l'institution en méfiance.

« C'est bien vous qui venez à la consultation du docteur Witz ? » me demanda-t-elle sèchement, avec un regard oblique et tout en consultant un gros livre sur son bureau — avant d'apostropher sévèrement un malade qui manifestait le désir de prendre l'air : « Vous n'avez pas le droit de sortir. Nous sommes responsables de vous ! » Déjà elle manipulait le cadran de son téléphone comme la combinaison secrète de quelque coffre-fort

Je tentai d'expliquer ma confusion et de dire — sans avoir à entrer dans de grandes explications — que ce n'était pas moi le malade mais la dame que j'accompagnais. Elle n'écoutait pas ou ne voulait pas entendre. Elle parlait au médecin. Et soudain elle me demandait : « Vous vous appelez ? »

Helga, qui pendant cette minute contradictoire en avait profité pour humer l'atmosphère si étrange et si brûlante où elle devrait rester quelque temps, remit brutalement les cadrans sur le méridien correct de l'Histoire : « Madame, c'est moi qui viens en consultation et également pour une hospitalisation. Lui (elle me désignait), il est venu avec moi. C'est tout. »

Cette information sacrilège, qui, aux yeux de l'infirmière, avait quelque chose d'une intoxication, la troubla dans son jeu trop rapide. Elle murmura un chapelet d'excuses et consulta enfin la liste des malades du jour. Elle trouva le nom d'Helga. Elle poussa presque un cri : « Mais oui ! C'est ça. 14 h 30. C'est parfait ! »

Bientôt Helga disparut dans un couloir fraîchement repeint, suivie par des pas saccadés qui enfonçaient dans le sol caoutchouteux leurs piqûres de machine à coudre. Au bout du couloir, les piqûres cessèrent. Une porte s'ouvrit, se referma. Les piqûres reprirent de plus belle pour ne plus s'arrêter que lorsque l'infirmière eut regagné son poste de garde.

Un caillot d'angoisse me serrait la gorge : quelles nouvelles allait rapporter Helga ? Comment ce corps si enjoué et si massif pouvait-il être malade ? En avait-il le droit ? Il y a des gens — comme moi, par exemple — chez qui le physique procure la satisfaction d'une excuse, parfois l'ébauche d'une explication, en cas d'aggravation des symptômes. Et l'association de ma maigreur à un état morbide et mortifère est ancrée en moi depuis si long-temps qu'il me paraîtra toujours anormal qu'un volume double ou triple ou quadruple du mien puisse être déclaré « malade ». Certes, certes, je sais que quelques maladies peuvent être repérées par des « grosseurs » louches et que, par conséquent, la seule maigreur ne saurait consti-tuer le raccourci saisissant d'une pathologie inquiétante. Elle signale tout au plus l'avancement d'une maladie. Mais elle n'en est jamais la véritable manifestation.

J'étais perdu au milieu de ces conjectures lorsqu'un homme en blouse blanche fut bientôt devant moi et, après avoir levé dans ma direction des yeux jaunes tout embués (par la fatigue ? l'alcool ? le désarroi ? la folie ?), il me fit signe d'entrer dans son bureau. En pénétrant dans cette pièce couverte de mappemondes anatomiques et décorée d'anciens instruments de chirurgie pendus au mur comme de victorieux trophées, j'aperçus une petite Helga enfoncée dans un large fauteuil de cuir sombre. Le docteur Witz prit place derrière un bureau de chêne aux pieds contournés. Il m'invita à prendre place dans l'autre fauteuil.

« Madame souhaite que vous soyez présent durant cet entretien. Elle veut — n'est-ce pas ? — que je vous tienne au courant de la nature de sa maladie. Vous vivez ensemble, je crois ?

— En effet, en effet, interrompit Helga. Nous ne sommes pas mariés mais nous pourrions l'être. Il est absurde que la psychologie de l'hôpital en reste à ce niveau matrimonial ou parental.

— Oui, oui, bien sûr... », murmura le docteur Witz, avec l'air entendu du savant qui s'autorise une confidence avec un autre membre de la faculté (au demeurant, bien plus célèbre que lui), et comme si cette confidence devait être proportionnelle à la réputation qu'avait acquise Helga et qu'il enviait, il ajouta : « Oh, vous savez, je passe mon temps à me battre contre l'administration... Le corps médical est très conservateur... S'il n'y avait que moi... », poursuivait le docteur Witz.

Mais Helga, qui n'aimait pas voir Witz s'embarquer sur un terrain aussi délicat et aussi étranger à sa spécialité, lui demanda d'en venir au fait.

« Bien. Je vais donc me répéter. Comme je vous le disais tout à l'heure, vous avez une maladie sanguine dont j'ignore la cause. Je ne vous cache pas que ça pourrait être une forme de cancer, bien que vous ne présentiez guère de signes cliniques évidents. Mais quelques examens suffiront à exclure cette hypothèse ou à la retenir. Certes il y a cet amaigrissement subit dont vous me parliez tout à l'heure... Mais n'exagérez-vous pas un peu cet amaigrissement ? Je vous avoue que je vous trouve une corpulence parfaitement normale. Et puis le problème urgent auquel nous sommes confrontés n'est pas celui-là mais votre thrombopénie. Comme je le disais tout à l'heure elle est la cause de ces petites taches violines que vous avez sur les bras et sur les jambes. C'est un « purpura thrombopénique » tout à fait classique. Ces taches vont disparaître d'elles-mêmes dès que votre taux de plaquettes dans le sang sera remonté à un niveau plus élevé. Pour l'heure, et avant confirmation par un prélèvement de moelle osseuse, j'exclus totalement qu'une leucémie soit derrière tout cela. Votre thrombopénie est peut-être virale. Mais quel virus ? Je me méfie de la virologie car il est devenu courant de soupçonner automatiquement un virus dans chaque désordre hématologique. Il y a aussi un fort grand nombre de thrombopénies idiopathiques. Vous pourriez très bien être dans ce cas.

— " Idiopathique " ? demandait Helga, prise de court par un vocable dans lequel la superposition barbare de deux racines antiques évoquait une sorte de " grec médical " à l'écart de toute orthodoxie et de tout sémantisme.

— Eh bien, reprit le docteur Witz qui posait au philologue, disons que cela veut dire que nous ignorons par quel mécanisme votre manque de plaquettes est induit. La science en ignore la cause.

— Mais enfin, c'est ridicule ! protestait Helga.

— Si je pouvais vous dire autre chose, croyez bien que je vous le dirais. Et je ne peux pas en dire plus après les premiers examens. Nous connaissons le rôle joué par les plaquettes sanguines dans la coagulation depuis peu de temps. Et nous savons que leur nombre varie, chez l'individu adulte, entre 150 000 et 400 000. Nous pensons que le seuil critique, au-dessous duquel il est préférable de ne pas tomber, se situe autour de 20 000. Sinon on est à la merci de petites infections, de saignements de nez (l'épistaxis) ou de furoncles. Le purpura apparaît au-dessous de 20 000. Et quand l'organisme ne parvient pas à effectuer normalement ses fonctions de coagulation, on risque de voir des caillots de sang se former et mettre beaucoup plus de temps à se résorber. Autrement dit, un simple bleu peut devenir un hématome dangereux. Il serait hors de question de pratiquer sur vous la moindre intervention chirurgicale sans vous faire de transfusion de plaquettes.

— Mais que peut-on faire ? demandait Helga.

— Plusieurs traitements sont possibles. On sait que les plaquettes, dans les cas de thrombopénie, sont détruites par la rate. On peut procéder à l'ablation de la rate. C'est efficace, mais très lourd. Ou bien il y a les corticoïdes. C'est pratique et pas cher. Enfin la transfusion de veinoglobulines, ce qui est idéal mais très onéreux et il faut une autorisation de l'Académie de médecine pour une utilisation à long terme... Sauf, sauf, poursuivait le docteur Witz, lorsqu'il y a urgence, et, avec 16 000 plaquettes, on peut considérer qu'il y a urgence. Je vais donc ordonner, avec votre accord, une transfusion d'immunoglobulines. Après, on verra. Personnellement, je pencherais pour les corticoïdes. Vous savez, il n'y a pas de remèdes miracles. De vous à moi — Witz prit l'air de l'épicier consciencieux qui cache sous le comptoir ses meilleurs produits — le régime alimentaire est très important. Mangez beaucoup de viande rouge et de protéines. Et surtout, surtout, mangez de la carotte !

— De la carotte ? demanda Helga, avec un sourire. Vous plaisantez ?

— Mais pas du tout. On croit savoir que le carotène agit sur les globules blancs et sur les lymphocytes. Pourquoi pas sur les plaquettes ? Aucun médecin n'osera vous le dire mais moi je vous le dis. »

Encouragés par cette infraction avouée au règlement officiel, Helga et moi nous nous levâmes et sortîmes du bureau capitonné pour prendre connaissance du quartier où Helga serait assignée, pardon, consignée, pendant plus d'une semaine.

Le docteur Witz paraissait sympathique. Le dégoût

apparent qu'il manifestait pour sa profession, le peu d'estime qu'il témoignait envers ses confrères (une caractéristique générale de la profession médicale qui devrait nous pousser à être davantage méfiants si nous n'avions pas besoin de ses services), le flegme relatif avec lequel il accueillait les plus dramatiques hypothèses, le regard sincèrement peiné qui ne sait pas compléter ce qu'il a déjà dit pour consoler : nul doute que cet ensemble de qualités — qui avec d'autres doivent passer pour d'impardonnables défauts — satisfaisait pleinement Helga.

Ce qui était plus préoccupant en revanche, c'était que l'hôpital avait l'air bien peu en phase avec le discours du docteur Witz. Je découvrirais ainsi, au contact d'Helga, combien l'hôpital est, de toutes nos institutions, celle qui poursuit avec le plus de constance, sa propre logique, sans prendre en compte les désirs de ceux qu'elle héberge.

L'énergique infirmière de tout à l'heure prenait Helga en charge, comme si elle avait un devoir à accomplir, une destinée à régler. Elle lui posa d'interminables questions et consignait les réponses en cochant d'innombrables petites croix dans les obscures colonnes d'un dossier rose. Quand le dossier fut refermé et disparut au fond d'un tiroir, mais dûment estampillé d'une nuée de pastilles rouges — comme autant de bubons sur une peau condamnée par la peste —, l'infirmière fit signe à Helga de la suivre.

Nous nous enfonçâmes dans un dédale de couloirs et de portes coupe-feu. Je découvrirais plus tard, lorsque nous aurions colonisé les murs jaune et gris de ce bâtiment, d'étranges signalisations qui balisaient la géographie de l'hôpital. On aurait pu imaginer que des noms de fleurs, de patients célèbres, de montagnes ou de fleuves eussent grandement suffi à poser des repères. Mais non, rien que des noms de médecins valeureux qui baptisaient : un couloir, une porte de placard, une salle d'attente ou d'opération, une enfilade de bureaux, parfois un ascenseur. Et ces noms de médecins codifiant en surnombre l'espace aveugle de l'hôpital contrastaient si étrangement avec l'anonymat chiffré des malades qu'on ne pouvait s'empêcher de noter cette flagrante différence de traitement. Effacée, la mémoire collective des malades qui étaient passés entre ces murs ; honoré, magnifié, le souvenir des chirurgiens, ces sergents-majors de la santé, qui avaient mené un combat héroïque contre la maladie et dont la plaque commémorative inscrivait leur patronyme en majuscules bleues pour chanter leur gloire passée. L'hôpital semblait se décrire comme une institution en guerre permanente avec elle-même. Et sachez bien que le malade est toujours à ses yeux l'ennemi anonyme. Tout au plus a-t-il le droit de porter l'étendard d'un sigle pathologique. N'est-il pas étrange de découvrir que ce lieu de dispute de la maladie qu'est l'hôpital marque une telle rupture entre des héros négatifs (les malades), dont on veut oublier qu'ils peuvent guérir, et puis des héros positifs (les médecins) dont on oublie trop souvent qu'ils peuvent tout aussi bien faire mourir que guérir ? Que penserait-on enfin d'un hôtel où chaque couloir serait précédé des noms de femmes de chambre, valets de pied, maîtres d'hôtel, concierges et direction d'un ancien temps ?

Nous n'allons pas nous appesantir sur l'énoncé des humiliations qui, ordinairement, accompagnent l'entrée en clinique. D'abord, parce que aucun récit ne saurait y parvenir vraiment. Les mots ne sont rien devant l'action brute. Mais on citera, pour l'extraordinaire, d'infimes détails auxquels Helga fut diversement sensible : le lit qu'une suspension cassée maintenait dans une position de chaise longue ; le rideau de reps (jaune ?) qui séparait le cabinet de toilette de la chambre ; les pièces de monnaie nécessaires à l'alimentation d'un poste de télévision ; l'odeur indescriptible d'un petit flacon rempli d'alcool dans lequel flottaient maladroitement plusieurs thermomètres. Oh, rien de bien méchant, certes, rien d'intolérable qui eût pu justifier un esprit de révolte ou la création d'un syndicat de malades. Il y avait même, dans la discipline austère et mécanique de l'hôpital, des choses qui n'étaient pas pour déplaire à Helga : réveils à heure fixe à sept heures, « protocole » de la visite de faculté. Elle me dirait, mon Helga, sa fascination et son impression d'être passée de l'autre côté du pupitre ; ou comment elle aurait le sentiment d'être non seulement redevenue simple étudiante mais aussi d'être elle-même objet d'étude, lieu vivant d'une expérimentation du savoir (savoir qu'on ne lui ferait pas partager, selon le principe que les objets sont muets et doivent le rester pour mériter leur beau nom d' « objet ». Au nom de quoi eût-on vu des « objets humains » déroger à cette loi ?).

Certes, au cours de ces entretiens collectifs, elle serait étonnée de se voir questionnée et re-questionnée minutieusement sur sa vie privée. Sortait-elle souvent au restaurant ? Avait-elle une « vie stable » ? Avait-elle des « rapports » réguliers ?

Elle serait un peu troublée de constater que personne ne se livrerait à une fouille détaillée de son corps. Elle avait la diarrhée ? Oh, mais ce n'était pas très grave. On lui donnerait des comprimés pour stopper tout cela.

Voulait-elle montrer à un médecin le fondement de son cul pour qu'il puisse constater de lui-même les rougeurs et les mycoses atroces que lui causaient ces diarrhées répétées ? Non, inutile. « On ne montre pas son cul comme ça. Il leur faut tout un protocole », me dirait, plus tard, en riant, Helga.

Son étrange maladie, pour laquelle on rechercherait toutes les causes biologiques connues sans en trouver aucune, montrait la médecine sous son jour le plus moderne. Car des deux médecines qui s'affrontent, depuis plus d'un siècle — clinique anatomo-pathologique et biologie — c'est cette dernière qui tient, chaque fois, à remporter la palme et le gros lot. L'autre, à nos yeux décillés, ferait trop penser aux méthodes primitives et hasardeuses de Sherlock Holmes. Le caractère fantomatique de l'une et de l'autre (la première, parce qu'elle est passée de mode ; la seconde, parce que ses résultats sont gardés secrets) conduit à penser que de nombreuses pathologies, au lieu d'être prises en défaut sous leur feu croisé, finissent par n'avoir aucune existence scientifique. Car certaines maladies disparaissent, non pas en raison de médications qui les auraient éradiquées mais parce que les médecins ne s'intéressent plus à elles. Elles ont beau faire rage en nous, on s'empresse de les attribuer à d'autres symptômes. Ainsi peut-on voir s'évanouir de vastes zones pathologiques avant que soit systématiquement niée l'existence passée de ces grands dinosaures par simple décret d'intérêt général. Ne soyons pas cruels, ne citons pas d'exemple. Il est parfois utile de voir s'éteindre d'inutiles maladies lorsque la médecine troque de vieilles jumelles d'opéra contre la loupe d'un microscope ou lorsqu'elle renouvelle son codex pharmaceutique. Mais paradoxalement, avec l'arrivée de nouvelles drogues, ce sont aussi de nouvelles maladies qui arrivent en masse. Autrement dit, tout ce qui n'est pas répertorié, soignable ou curable est prié de se taire. Une maladie n'existe que si on peut la soigner ou que si elle vient témoigner sans ambiguïté dans la cause d'un décès. Tout le reste demeure suspect. Ainsi dans le cas des maladies qui demeurent mortelles en l'absence de médication efficace, il ne paraît tolérable de prononcer leur nom qu'après avoir annoncé la mort de la victime.

Quand Helga poussa la porte de fer du jardin de la Villa des Verseaux et avança au milieu d'une tiare de fleurs d'automne qu'elle n'avait pas eu le temps de voir rougeoyer sur une verrière désormais recouverte d'un filet de vigne rampante, elle ne savait pas qu'au cœur même de cette maison idéale (et voici Vanouchka qui accourt, lionne accablée et indolente) elle devrait mimer des scènes qui prolongeaient l'existence de l'hôpital : piqûres d'acide folique trois fois par semaine ; prises de sang deux fois par semaine ; visites « d'amitié » qui lui sembleraient autant d'adieux faits, en s'excusant, à une personne que l'on s'attend à voir disparaître.

Pourtant Helga n'avait pas dit son dernier mot. Son séjour pénible à l'hôpital rendait d'autant plus agréable ce brusque retour dans un univers de fleurs, de livres et de caresses. Elle reprit du poil de la bête, comme le déclara un collègue de la faculté. Tout d'abord, elle refusa de revoir le docteur Witz (« un sale hypocrite »). Pierre proposa de rencontrer des académiciens : les professeurs Brûlard et Diazine, de « célèbres spécialistes » Quant à

Marc, que l'idée de cette maladie inconnue, impalpable et secrète indisposait, il était partisan des solutions énergiques : « L'ablation de la rate. Je l'ai lu dans *Science*. C'est ça qu'il te faut... »

Helga ne fit rien de tout cela. Tout au plus accepta-t-elle un programme minimum de surveillance de son être médical, ce personnage maléfique qui cohabitait au milieu de ses nombreux autres êtres.

Des dispositions furent prises par le recteur de l'université afin qu'Helga soit dispensée de tout enseignement en chaire et puisse se consacrer à ses recherches à domicile. Dans un premier temps, Helga trouva cette situation exquise. Et je devins son étudiant domestique, son disciple. Pour elle, je traînerais ma silhouette cagneuse entre les rayons de la Bibliothèque nationale, dans cette bâtisse trop sage aux allures de mosquée ; et je ramènerais de lourds volumes chargés d'inscriptions latines.

Plus absorbée par son travail que par sa maladie, Helga prit de plus en plus distraitement les potions que lui préparait Pierre ou les décoctions de son traitement officiel. Non pas que cette armée de médication lui eût fait peur mais Helga voyait dans leur simple administration un inacceptable retard dans son labeur — ou un frein inutile dans l'évolution naturelle de sa maladie, voire de sa guérison. D'ailleurs son organisme semblait suivre à la lettre ses réticences. Lui donnait-on un verre d'argile (contre la diarrhée), après qu'elle eut dit en détester le goût, et bientôt un vomissement providentiel la libérait de cette potion verdâtre.

Car Helga n'était heureuse que penchée de longues heures à son bureau, ou bien dessinant sur de grandes feuilles blanches des cartographies étranges, des îles empanachées, un essaim de gemmes rares, des portraits enfantins, des palais à colonnes, des robes imprimées de figures animales : paons, lions et phénix. Et pendant qu'elle s'appliquait à peindre tout cela, je passais derrière elle pour la coiffer comme un enfant coiffe un baigneur : avec énergie, souplesse ou amour.

Avec sa maladie, l'espace s'était rabougri. Je me suis rendu compte qu'une chambre est l'essence, la vraie pièce d'une maison. Et si je n'étais pas dans sa chambre, c'est qu'elle était allongée au salon ou bien dans la chambre de Pierre, ou bien dans la mienne. Helga n'a cessé de voyager de chambre en chambre.

Les différences corporelles qui subsistaient toujours entre Helga et moi s'estompaient et continuent de s'estomper. Nos corps, dont nous n'avions cessé de démontrer au monde l'énormité cocasse — et nous en tirions quelque orgueil —, nos corps avaient acquis cette qualité impondérable et immatérielle que les sages bouddhistes obtiennent au bout de longs mois de méditation. Car la maladie impose une formidable réflexion sur soi et si d'autres choses peuvent également y parvenir, elle a sur elles la supériorité du seigneur sur ses sujets.

Les jours que l'on n'avait jamais songé à décompter se mettent à passer au compte-gouttes. Chaque particule d'éphémère devient digne d'intérêt et l'espace, ce cadavre boiteux du Temps, paraît immense alors qu'il s'est rétréci. Car lorsqu'on n'incarne plus la durée dans son propre corps et qu'on devient trop faible pour l'inspirer efficacement chez les autres, on se met à la chercher comme un forcené, dans les objets ou les êtres aimés. L'on est même prêt à une opération de transfert par laquelle la durée passée ou acquise d'un être serait transmise dans un autre. Était-ce cette métamorphose que je sentais se produire entre Helga et moi ? Helga, qui avait été à mes yeux, depuis le départ, une formidable force d'indolence, donc, une vraie puissance, était en train de me communiquer un désir de durer et une volonté d'affronter le temps que je n'avais jamais connus dans mon corps étriqué. Mais ce corps, toujours sur pied, et qui révélait des énergies insoupçonnées à ses côtés, dut lui sembler une compensation de ses limites.

Je devenais (et je suis aujourd'hui) plus dur que je ne l'étais, alors qu'Helga prenait peur d'elle-même, ne sachant plus si, avec ce qu'on lui disait, elle était un bibelot fragile, une poupée de porcelaine, une bombe à retardement (se méfier des colis trop luxueux).

Je fis des maladies par amour, comme d'autres sont malades d'amour. Oui, j'eus des maladies infantiles (la varicelle ! À mon âge !) ou bien des maladies plus fréquentes chez les femmes (une cystite : quel beau nom de fleur !) et mon médecin vit dans ces manifestations hystériques le signe, que dis-je ! le symptôme, d'une empathie témoignée pour ma compagne (sa plus ancienne cliente). Je tombais malade pour lui ressembler. J'étais malade par amour et compassion. Ce qui montre que nous ne sommes pas au bout de nos peines — qui sont des paradoxes, je le reconnais.

Helga ne voulait plus sortir de la Villa. Se promener dans le jardin devint à ses yeux une expédition périlleuse. Elle conçut à l'égard de ses théories passées une certaine indifférence. Et le fait d'avoir voulu échapper si souvent à son corps rendait celui-ci encore plus insupportable. « Je voudrais être une âme », me dirait-elle en plaisantant.

Entre les poussées de fièvre, elle s'aménageait de petites plages d'activité livresque, même si les livres imprimaient en elle une déception qu'elle n'avait jamais connue jusque-là ; car les livres ne savaient pas — et ne savent pas — dire ce qu'elle vivait. Les plantes dont elle avait toujours éprouvé la nécessité devenaient suspectes, surtout depuis qu'on lui avait dit que la drogue qui pourrait peut-être la guérir était extraite de l'écorce d'if. Sous l'apparence sereine d'un arbre sommeillait une réalité de poison : le venin qui lui brûlerait les veines.

Outre ma personne restreinte, Helga n'admettait plus personne dans sa chambre, si l'on excepte les chats de la Villa, désormais appelés à jouer un rôle qu'ils n'avaient guère remplis auprès d'elle : celui de confidents et de thérapeutes. Les chats savent émousser le côté aigu des choses. Leur lenteur est apaisante. Mais leur supériorité sur toute autre forme de thérapie tient au fait qu'ils n'affichent pas leurs qualités en devanture. En d'autres termes, ce qui fait d'eux les meilleurs thérapeutes c'est qu'ils n'ont pas l'air de thérapeutes.

Et nous retrouvons Helga où nous l'avions d'abord entrevue : sous sa couette ; car elle se plaint du froid, caresse d'une main empâtée la croupe électrique de Vanouchka et fait des efforts gigantesques pour s'extraire — en vain — de son immense léthargie.

Allongés l'un à côté de l'autre, dans le bain cathodique de son lit, dans la dépression creusée avec le temps par son corps, nous restons ainsi très longtemps, à converser, chuchoter ou lire, et la contiguïté de nos rapports se fixant sur le continuum d'une passion inassouvie (les véritables passions), nous nous enfonçons dans un plaisir morne, immobile et totalement complice, avec la sensation vague que le double rêve s'accomplit et que les pôles inverses se rapprochent : sa désincarnation s'ajoutant à ma propre réincarnation en elle me fait penser à une formule mathématique où $H + H$ serait toujours égal à H.

Plusieurs hypothèses romanesques sont envisageables pour clore le chapitre de nos êtres ridicules. La mort d'Helga, que tout ce livre paraît supposer, ne serait-elle pas la meilleure solution ? Ne serait-elle pas logique après ce qui a été dit ou sous-entendu ? Car dans le cadre strictement pathologique de cette réalité de fiction sa guérison ne serait-elle pas la plus niaise des issues ? Le lecteur aime, traditionnellement, que la vérité soit cruelle.

Pourtant je ne puis me résoudre à faire mourir une seconde fois Helga. Ce serait tuer mon double, mon sosie, ma sœur. Ce serait un crime commis contre ma personne. Ce serait un suicide fait contre ma volonté. Mais calmons-nous ! En fait, je suis devenu Helga et, si elle doit mourir, elle trouvera en moi une formule (timide mais réelle) de remplacement. Il faut bien que les miracles continuent leur honorable carrière. On a toujours tendance à sous-estimer les capacités de transposition inhérentes au genre humain. À l'approche d'un carrefour incertain où deux directions sont possibles, j'avoue être tenté par celle qui permet d'abolir la logique des choses. Qui a dit, après tout, que les romans étaient astreints à faire œuvre de vérité ? Pour une fois, laissons donc la fiction et le rêve l'emporter sur la vie.

I. *Les paysages intérieurs.*   11

II. *Le salon.*   29

III. *L'amphithéâtre.*   79

IV. *L'île.*   183

V. *Les chambres.*   259

*Composition Bussière
et impression S.E.P.C.
à Saint-Amand (Cher), le 3 août 1987.
Dépôt légal : août 1987.
Numéro d'imprimeur : 1119-775.*
ISBN 2-07-071061-0. Imprimé en France

40912

8 J 883